La planète Wal-Mart

Suzanne Dufour-Koelbl

La planète Wal-Mart

Témoignage d'une ex-gérante du personnel

récit de vie

Catalogage avant publication de Bibliothèque et Archives Canada

Dufour-Koelbl, Suzanne

La planète Wal-Mart: témoignage d'une ex-gérante du personnel: récit de vie

ISBN 2-923444-00-0

1. Dufour-Koelbl, Suzanne. 2. Wal-Mart (Firme). 3. Directeurs du personnel — Québec (Province) — Biographies. 4. Vendeurs — Québec (Province) — Biographies. I. Titre.

HF5439.32.D83A3 2005 381'.14'092 C2005-941232-1

Illustration de la couverture et caricatures: Marc Beaudet
marc.beaudet@sympatico.ca

Conception de la couverture: Michèle Tellier
mitellier@sympatico.ca

Mise en pages: Édiscript enr.
ediscript@sympatico.ca

Consultante en relations de presse:
Mireille Bertrand, relationniste
6123, avenue Durocher,
Outremont (Québec) H2V 3Y7
Téléphone: (514) 278-6760
Télécopieur: (514) 278-5602
mireillebertrand@sympatico.ca

Diffusion-Distribution au Québec:
Diffusion Raffin
29, rue Royal
Le Gardeur (Québec) J5Z 4Z3
Téléphone: (450) 585-9909
Télécopieur: (450) 585-0066
raffin@qc.aira.com

Éditions Atmosphère inc.
806, rue Cherrier, porte 9
Montréal (Québec) H2L 1H4
Téléphone: (514) 581-2700
Télécopieur: (514) 581-2700

Dépôt légal: 2e trimestre 2005
Bibliothèque nationale du Québec
Bibliothèque nationale du Canada
ISBN 2-923444-00-0

Imprimé au Canada

Table

Qui est Suzanne Dufour-Koelbl ?

Suzanne, née en 1951, est diplômée de l'Université d'Ottawa. Elle détient une maîtrise en communications. Elle a été attachée de presse, pendant deux ans, d'un ministre du gouvernement du Canada ; pendant quatre autres années d'un premier ministre du Canada.

À quarante ans, elle rencontre l'amour de sa vie, un officier des Forces armées canadiennes, qu'elle épouse. Son mari, mis à la retraite et tombé malade, le couple déménage dans la grande banlieue de Montréal, dans une municipalité dont il est inutile de préciser le nom, et où Suzanne a de la famille. Après la mort de son époux, elle veut se rendre utile et occuper son temps. Elle apprend bientôt qu'une très grande entreprise recherche des employés fiables, dynamiques, efficaces. Les offres semblent alléchantes. Elle postule un poste et l'obtient : c'est ainsi qu'elle se retrouve à l'embauche de Wal-Mart. D'abord enthousiaste, Suzanne devra déchanter…

À l'annonce de la syndicalisation des employés du magasin de Jonquière, au Québec, lorsque Wal-Mart conteste cette initiative de ses employés et fait les manchettes dans les médias, la bulle remonte. Suzanne ressent alors le besoin de témoigner de son expérience unique et instructive. Elle écrit le troublant récit de vie que nous avons le plaisir de vous présenter.

L'ÉDITEUR.

À Lee, mon tendre époux
mort beaucoup trop tôt.

Après avoir reçu ce si terrible coup,
pour toi,
j'ai trouvé la force de me relever.

Avis au lecteur

Ce livre n'est pas un roman, c'est le témoignage véridique d'une période de ma vie. J'ai eu une bonne impression, au début, de l'organisation Wal-Mart, j'ai côtoyé dans des circonstances tantôt heureuses et tantôt malheureuses des associés, mes collègues et, parfois, des amis.

Aussi, pour faciliter la lecture de cet ouvrage, et afin de préserver un devoir de discrétion dont je me suis fait une règle, les noms et, parfois le sexe, des protagonistes du récit ont été changés. Je ne veux ternir l'image, ou nuire à la réputation de qui que ce soit. Toutes les personnes évoquées ont existé, la plupart ont changé de fonction, de magasin, ont quitté l'entreprise, certaines autres sont décédées. Je demande au lecteur de ne pas chercher à les identifier.

Enfin, et encore là dans l'intention de protéger la vie privée des individus, les événements évoqués ont lieu dans la ville fictive de New York en Québec. Il est entendu que ces conventions ne retranchent pas un iota de vérité aux événements ci-après, sur ma foi, relatés.

Suzanne Dufour-Koelbl

Introduction

Qu'est-ce que Wal-Mart ?

Entreprise de commerce au détail, fondée par feu Samuel Moore Walton (1918-1992). Les principaux actionnaires sont les cinq membres de la famille Walton. Une gigantesque entreprise planétaire : il suffira de dire que les ventes annuelles de cette société se comptent par centaines de milliards de dollars, dépassant de beaucoup le budget de la plupart des pays de la Terre…

Selon les critères de Wal-Mart, c'est quoi un *associé* ?

Il est nécessaire, pour la bonne intelligence de ce livre, de savoir ce que recouvre le concept d'*associé*, chez Wal-Mart. La notion d'*associé*, puisque Wal-Mart fait de ce vocable un argument pour le recrutement et la vente, suppose une participation dudit *associé* aux bénéfices.

Profits du magasin

Premièrement, un pourcentage des profits réalisés par le magasin où travaille l'*associé* est réparti entre ses employés, temps partiel et temps plein. Cette gratification est versée, une fois par année, sous forme de chèque.

Suzanne déclare : « Je n'ai jamais pu toucher de bonification reliée aux profits du magasin, puisqu'il n'a jamais été profitable. Du moins, du temps où j'y ai travaillé. Pour quatre années de travail, je n'ai jamais eu le PRIVILÈGE de recevoir un chèque sur le pourcentage des profits. »

Profits canadiens

Une partie des profits canadiens est répartie entre les employés *admissibles* et versée dans un régime de retraite (RPDB), placée à la bourse et dans des actions de Wal-Mart.

Susanne nous apprend encore : « La dernière année, Wal-Mart a versé dans mon fonds de pension (RPDB), tel que rattaché à la profitabilité de l'entreprise, un dépôt en action de 465,64 $, soit une valeur moyenne de 9,30 $ par semaine… Si vous vous amusez à faire le calcul, sur une base hebdomadaire de 40 heures, sur 50 semaines, cela donne (faramineuse motivation !) 23 cennes l'heure… »

Heureusement, l'*associé* ne participe pas aux pertes… sauf s'il s'est acheté ou s'il s'est mérité des actions de Wal-Mart.

Le lecteur trouvera, dans les annexes A et B, plus de détails sur la notion d'*associé*, et sur les conditions requises pour la participation aux profits.

Selon les critères de Wal-Mart, c'est quoi la participation aux profits ?

L'*associé* pour sa période d'emploi recevra une part des profits du magasin, en autant qu'il y ait profit à ce magasin. On verra au fil des pages qui suivent l'idée que certains *associés* se font de cette participation.

L'*associé* qui souhaite recevoir sa part des profits canadiens doit satisfaire aux conditions d'admissibilité qui lui seront révélées au cours de son emploi.

Sachant que l'année financière de l'entreprise s'étend du premier février au 31 janvier, il faut, pour être admissible et pour accéder aux résultats du statut d'*associé* :

- *Faire ses preuves* : Période de travail d'un an avant d'être admissible.
- *Faire son temps* : Une fois admissible, donc un peu plus tard, il faut travailler mille heures durant l'année financière de l'entreprise.
- *Faire faire des profits* : L'entreprise doit faire des profits.
- *Faire partie de l'équipe* : Être à l'emploi de l'entreprise en date du 31 janvier. Il faut comprendre que 40 % des *associés* quittent leur emploi avant d'avoir travaillé un an. Après ces multiples délais il faut, malgré tout, persister.

Wal-Mart garantit à l'employé un minimum de 28 heures par semaine pour les employés à temps plein, et de douze heures par semaine pour les employés à temps partiel. Normalement, un employé à temps plein travaillera plutôt de 30 à 35 heures au maximum. Ajoutons qu'un gestionnaire, s'il le veut, a beaucoup de moyens d'empêcher un employé d'atteindre l'objectif; de plus, notons l'INTERDICTION CATÉGORIQUE d'accorder du temps supplémentaire.

1

Un début prometteur

Après le décès de mon mari, il fallait que j'arrête de constamment penser à mon cher disparu. Il fallait que je fasse quelque chose qui m'étourdirait un peu. Rien de très sérieux, un boulot sans trop de responsabilités et, si possible sans voyagements. Le temps où je travaillais à Ottawa comme attachée de presse était révolu. Mais je voulais sortir de la maison, je voulais voir du monde et avoir une activité qui m'empêcherait de me complaire dans des pensées moroses.

Voilà que j'ai trouvé cette annonce dans le journal local où l'on demandait du personnel pour ce géant Wal-Mart, qui semblait une de ces nouvelles entreprises qui réussit en affaires parce que, entre autres choses, elle a une politique de respect de ses employés. Ça me plaisait beaucoup. J'ai décidé de tenter ma chance.

L'enthousiasme du début

À la mi-mai, à l'invitation de l'annonce, je me suis présentée au centre commercial pour proposer mes services. On m'a remis un numéro. À l'appel de ce numéro, je suis entrée dans une salle avec sept ou huit autres personnes pour une réunion d'information. Là, le futur gérant nous a expliqué comment fonctionnait l'entreprise. Il nous a montré un paquet de cigarettes et nous a avertis que si nous ne pouvions pas nous abstenir de fumer dans les locaux de Wal-Mart, nous étions invités à quitter la salle immédiatement. C'était une des premières règles.

Après, on nous a remis un formulaire à compléter dans un isoloir. Cela fait, on nous a priés d'attendre d'être appelés. Les entrevues étaient dirigées par sept personnes. À l'appel, j'ai présenté mon curriculum vitae à l'une d'elles, et passé l'entrevue.

On m'avait dit qu'on me donnerait des nouvelles dans les meilleurs délais. Sitôt rendue à la maison, j'avais un message sur le répondeur téléphonique me priant de retourner, le jour même, au centre commercial, pour une deuxième entrevue. Un message, tout de suite, comme ça... j'étais étonnée de tant de diligence. On m'a demandé si j'étais intéressée par un poste dans la direction du magasin. Moi qui aurais été contente d'un poste de préposée, de commis au rayon des bijoux... On allait au-delà de mes espérances!.... Le lendemain le gérant m'a rencontrée et m'a confirmé que j'avais le poste de gérante du personnel.

Si je me souviens!.... C'était le 2 juin 1995, un vendredi. Quelle belle journée pour moi, même s'il pleuvait à boire debout. J'allais signer mon contrat d'embauche chez Wal-Mart. Il faut dire que je venais de me réveiller du pire cauchemar de ma vie, la mort de mon mari, drame survenu deux mois plus tôt: ces deux mois m'avaient semblé un instant, et, tout à la fois, une éternité... Je m'étais donc vaille que vaille persuadée que seules des bonnes choses pourraient m'arriver après cet effroyable crève-cœur.

Lorsque je suis entrée dans le magasin, situé à quelques kilomètres de celui de New York où j'allais travailler une fois la construction terminée, j'avais les mains moites. Ma première impression des locaux administratifs a été plutôt défavorable. Tout était sens dessus dessous, vieux et malpropre. Mais je me suis dit qu'après tout, ils venaient tout juste d'achever l'aménagement de cette succursale, un vieux magasin rénové. C'était peut-être normal: en effet, je n'étais plus à Ottawa, dans des locaux où tout brillait comme un sou neuf.

C'était ce jour-là que je faisais connaissance de mes futurs collègues du niveau administratif, à la faveur d'une réunion à laquelle j'avais été convoquée. J'étais toute excitée à l'idée d'en apprendre plus sur cet empire commercial, que, lors de mon entrevue d'embauche, on m'avait présenté comme très respectueux des individus. Enthousiaste, j'étais d'un optimisme qui me faisait presque mal, surtout que j'avais été choisie parmi les deux mille personnes qui s'étaient présentées pleines d'espoir à l'entrevue initiale.

J'ai remarqué un cendrier sur la table de travail de la gérante du personnel. Pourtant, au moment de ma première entrevue, on m'avait déjà spécifié que la cigarette était interdite sur la propriété de Wal-Mart. Le cendrier était plein à ras bord. C'était une broutille. Je n'allais pas en faire tout un plat.

Elle durait depuis quatre heures, cette réunion. Quatre heures, c'est très long! Mais lorsque j'y songe aujourd'hui, et sachant le boulot que représente un bon lavage de cerveau, je ne suis plus surprise. C'est le délai nécessaire pour appliquer des techniques éprouvées de manipulation. On nous disait que nous étions chanceux d'avoir été sélectionnés. D'ailleurs, cela n'est pas faux. Il y avait tant et tant de candidats! Nous, les employés du niveau administratif, nous étions les ambassadeurs de Wal-Mart auprès des employés et des clients. Les employés administratifs étaient importants. Ma mission, parmi ces derniers, serait d'encadrer le personnel de plancher tout en épaulant la direction du magasin. Wal-Mart avait tout mis en place pour que les employés soient heureux, fiers d'appartenir à une si extraordinaire entreprise. En fait les employés étaient plutôt des associés, on partageait une part des profits entre tous les artisans de la réussite. Quelle idée de génie ! En retour, il était entendu que les employés prendraient un soin jaloux de l'entreprise, puisqu'elle était la leur ! Dans toutes les familles, il y a des conflits, mais en bon père de famille, la direction de Wal-Mart avait mis au point un système de dialogue pour régler les conflits. Les conflits, nous disait-on, viennent toujours d'un malentendu.

Au moment de l'entrevue d'embauche, j'avais appris que j'aurais droit à un mois de formation dans un plus grand magasin, le plus gros, à ce qu'on disait ! Le plus performant au Québec. Ça m'inquiétait un peu. Mais pourquoi aurais-je dû m'en faire ? Tout irait bien… mais quel était ce malaise que j'éprouvais à l'intérieur ? J'avais un tout petit peu peur, sans doute, de l'inconnu : c'était bien naturel, non ? Allez, je suis une battante, je suis capable de relever ce défi, je fonce !

Premier contact

Le lundi suivant, lors de ma première journée de formation, je me suis présentée, gonflée à bloc, pleine de bonne volonté, prête à apprendre. À cette occasion, j'ai rencontré la gérante du personnel du magasin école où j'allais recevoir ma formation. Gentille personne, bien intentionnée, toujours souriante, d'une patience d'ange. Partout où elle allait dans le magasin, les employés l'arrêtaient sans cesse pour lui poser des questions. Et jamais elle ne laissait paraître la moindre pointe d'impatience. Toutefois, je trouvais étrange l'attitude de ses employés qui assistaient aux réunions, tenues tous les matins, à huit heures quarante-cinq. Pourquoi ne souriaient-ils pas ? J'ai remarqué leurs yeux qui regardaient partout, évitant toutefois de se poser sur le visage des gens qui s'adressaient à eux. Je me disais que c'étaient probablement des anciens employés d'une autre chaîne, sans doute un peu frustrés de la disparition de leur entreprise ?

À l'heure de la pause, on m'a présenté trois de mes futurs employés, en fonction à cet endroit et qui allaient être transférés à notre nouveau magasin. Quel choc, ils étaient irrespectueux ! Surtout la première, la future adjointe-chef caissière. Elle a dit qu'elle allait changer la politique qui interdit de fumer dans le nouveau magasin. Mauvais signal ! Puis, la deuxième, et non la moindre, est arrivée. Je l'appellerai madame Lucienne pour les besoins de mon témoignage. Sa façon de se comporter avec moi me mettait très mal à l'aise. Elle était trop mielleuse. Il me semblait que son regard démentait ses propos. Je me rendais compte que je devrais me tenir sur mes gardes avec elle. Du troisième employé, il n'y a rien de particulier à dire.

L'atmosphère était très lourde. Et pourquoi tout ce silence autour de moi, un silence si présent que je ne pouvais que le constater, si épais qu'on aurait pu le couper au couteau ? Je n'arrivais pas à comprendre pourquoi il y avait tant d'animosité dans les regards des employés, surtout que cette entreprise était censée être un milieu de travail d'une qualité exceptionnelle. En principe, ils auraient dû être heureux. Je me suis dit qu'avec les méthodes éprouvées de Wal-Mart, en m'y prenant convenablement, ce serait un jeu pour moi de leur rendre la joie de vivre.

Les réunions du matin

Après deux semaines de formation, j'ai estimé pouvoir me débrouiller seule. Je ne voulais plus rester là. Mon opinion était faite, je voulais retourner à New York, et me présenter au magasin où on avait besoin de moi. Cette école était par trop déprimante, tout le monde semblait miné par le doute. Les airs en coin, les chuchotements constants derrière mon dos commençaient à m'énerver royalement. Il y avait beaucoup de malveillance dans les propos des employés, dans leurs critiques acerbes contre l'entreprise. En particulier lors des réunions du matin, où je ressentais avec force un malaise omniprésent et généralisé. Je ne me suis pas posé plus longtemps la question de savoir ce qui se passait. Je savais que si je m'arrêtais pour y penser, ne serait-ce que quelques minutes, j'allais me mettre, moi aussi, à douter de mon choix de travail.

Et il y avait toujours ce grand chagrin du deuil, cette douleur lancinante qui revenait me torturer lorsque je m'arrêtais pour souffler un peu... mon cœur qui me faisait si mal ! Mieux valait encore se griser de travail, car de la sorte, on n'a pas le temps de penser... c'était ainsi que je raisonnais à l'époque, et cela explique en grande partie, à ce que je crois, mon relatif aveuglement sur la situation.

La direction

Une quinzaine plus tard, le vendredi 16 juin, quinze heures. J'arrivais au centre commercial de New York, où étaient installés les bureaux temporaires de Wal-Mart, car la construction du magasin n'était pas encore terminée. C'était juste en face. J'ai tout de suite offert mon aide au gérant, pour des travaux administratifs: préparer les cartes d'identité des employés et monter pour chacun une fiche de travail. J'ai été accueillie comme une héroïne. Quel réconfort d'être si bien appréciée!

On m'avise qu'il y a des règles précises pour l'embauche. Contrairement à beaucoup d'employeurs, les principaux critères de celui-ci sont la docilité et la nécessité de gagner un revenu d'emploi. Attention aux femmes enceintes: ça coûte cher à l'entreprise! Les gens trop instruits ne sont pas privilégiés, ils font toujours des problèmes, ont tendance à revendiquer, critiquer.

L'*associé* modèle sera un individu volontaire, motivé, ambitieux et dépendant, l'entreprise fera tout en son pouvoir, pour le garder ainsi, sinon...

À partir du lundi suivant, j'ai commencé à initier les candidats retenus pour les préparer aux fonctions qu'ils allaient occuper dès le 1er juillet. Plutôt curieux puisque au Canada c'est, de par la loi, un congé férié... mais le commerce a ses raisons que la raison ne connaît pas!

La direction était ainsi composée: le gérant et trois assistants gérants. Le gérant avait ce qu'on appelle une belle personnalité, un peu d'embonpoint peut-être, mais il était d'une gentillesse quasi déroutante. Un des assistants gérants m'est apparu comme un homme de principes. Je pensais discerner chez lui un sens de l'intégrité à toute épreuve, ce qui me plaisait au plus haut point. Un deuxième assistant gérant était du genre du petit frère à qui l'on pardonne tout: pas très sérieux, joueur de tours et incroyablement drôle et espiègle. J'ai ressenti comme une espèce de coup de foudre, et je l'ai adopté aussitôt. Quant au dernier, c'était celui qui allait en appliquant les directives officielles, faire de mon séjour chez Wal-Mart un enfer. Je le nommerai monsieur Yves.

Monsieur Yves paraissait bien. Propre, soigné, trop peut-être. Lorsque je le regardais dans les yeux, son regard ne soutenait jamais le mien. Je n'aimais pas ça du tout. Ce qu'il y avait de plus frappant, c'était cette manie de fixer le plancher en permanence. Cet homme au regard fuyant était d'une nervosité extrême, son zèle intempestif pour rester dans les traces du gérant me tombait sur les nerfs. C'était à croire que l'on concourrait pour une compétition olympique, dans la catégorie « téteux de boss » !

Une journée typique

Permettez-moi de vous exposer ce qui était pour moi une journée typique de travail, comme gérante du personnel au Wal-Mart de New York. D'abord, je devais arriver au magasin pour huit heures trente au plus tard. Pendant la séance quotidienne de motivation des employés, qui débutait à neuf heures moins quart, je donnais les nouvelles, toujours positives, de Wal-Mart. Ensuite, le gérant ou un assistant gérant révélait les résultats obtenus pour les ventes de la veille. Enfin je procédais, à la façon enthousiaste des meneuses de claque, à l'appel des lettres :

— Donnez-moi un W !
— Donnez-moi un A !
— Donnez-moi un L !
— Donnez-moi un *twist* (trait d'union) !
— Donnez-moi un M !
— Donnez-moi un A !
— Donnez-moi un R !
— Donnez-moi un T !

Qu'est-ce que ça fait ?
Wal-Mart !

Plus fort ! j'ai pas compris.
WAL-MART !

C'est qui le numéro un ?
Le client.

C'est quoi le meilleur magasin ?
New York !

Bonne journée !

Après cette réunion, le gérant et moi nous traversions au centre commercial, pour échanger nos points de vue sur le fonctionnement du magasin, en sirotant un bon café. J'en profitais pour faire les photocopies nécessaires aux tâches à abattre dans la journée.

À mon retour au Wal-Mart, le travail de bureau m'attendait. Il fallait aussi évaluer et choisir les candidats à l'emploi. Puis, le cas échéant, je procédais à l'embauche du candidat retenu. L'entrevue était toujours menée de façon très positive, je peignais l'entreprise sous son meilleur jour. Après avoir fait signer son contrat d'embauche au nouvel *associé*, qu'il soit permanent ou saisonnier, je lui donnais une formation individuelle, laquelle durait quatre heures. Mon but était de l'épater, de lui communiquer l'enthousiasme que devait légitimement ressentir toute personne qui avait la chance d'être admise dans la grande famille Wal-Mart. Je lui expliquais aussi la notion d'*associé*. Je devais lui faire comprendre qu'il avait des possibilités d'avancement, d'augmentation de ses revenus, et la faculté d'acheter des actions de la société : d'être plus qu'un simple employé, mais un *associé* à part entière.

Encore de la programmation

Je lui parlais de la Directive de la Porte Ouverte (DPO), mécanisme efficace et original de résolutions des conflits interpersonnels, et de la CSST. Je lui faisais part du code vestimentaire de Wal-Mart, de même que des règles de conduite, tant dans le magasin qu'à l'extérieur: sobriété, fréquentations convenables, bonne tenue et bonne conduite en général. Il allait de soi qu'un employé pris à voler était mis à pied sur-le-champ, et qu'il devait dénoncer les vols dont il était témoin. Ensuite, le *coaching* était exposé de façon on ne peut plus favorable. Je lui disais: «Si tu as fait une erreur, nous sommes là pour te remettre dans le droit chemin, pour t'aider à amender ta conduite et ramener l'harmonie.» Pour finir, j'exposais ce que nous appelons la Règle des trois Mètres: si un employé se trouve à moins de trois mètres d'une autre personne, *associé* ou client, il doit: la regarder dans les yeux, lui sourire et lui souhaiter le bonjour.

Chaque jour, je devais aussi corriger les erreurs de l'horloge pointeuse (le *punch*), veiller à l'exactitude des dossiers courants ayant trait aux employés, contrôler des formulaires de toute sorte, classer dans les dossiers individuels les coupons de crédit de caisse, tels qu'autorisés par la chef caissière.

En plus de ces tâches quotidiennes, j'étais en charge des levées de fonds pour les organismes de charité, comme Centraide, et c'était moi qui

L'appât du gain.

rencontrais les représentants d'organisations caritatives.

À la demande, je devais acheter et vendre des actions Wal-Mart : quand un employé voulait acheter ou vendre des actions de la compagnie, pour lui éviter des frais de courtage, j'effectuais pour lui la transaction. En ces années-là, les actions ne cessaient de prendre de la valeur. La direction encourageait fortement cette démarche, et la gérante du personnel qui vendait beaucoup d'actions était bien vue du siège social canadien.

Deux fois par semaine, je devais enregistrer des émissions produites par Wal-Mart à Toronto et diffusées par satellite. Je devais faire visionner ces émissions aux employés, pendant une période prise sur le temps de travail. Il fallait aussi que je traduise ces émissions en français pour ceux qui ne comprenaient pas l'anglais.

Je devais aussi veiller aux procédures de départ, siéger au comité de promotion des employés, et présider le comité de la CSST.

Vous voyez que je ne chômais pas !

L'embauche

Le candidat déposait son C. V., c'était l'occasion d'un premier tri. On éliminait les « ex-Zellers », lesquels avaient été syndiqués, et les détenteurs d'un casier judiciaire.

J'organisais une entrevue individuelle d'évaluation avec les candidats retenus. Les critères de sélection étaient fonction de la performance :

comportement, qualité des réponses, façon de s'exprimer, motivation, habillement et propreté.

Quand un candidat était retenu, on devait téléphoner à ses anciens employeurs pour vérifier si on n'avait pas affaire à un employé perturbateur, difficultueux, « faiseur de trouble ».

Ces étapes franchies avec succès, l'employé était rappelé. Il venait signer son contrat. De mon côté, comme je le disais précédemment, je le préparais à devenir notre *associé*.

Les employés

Nous étions acculés au pied du mur. Il fallait impérativement inaugurer le nouveau magasin à la mi-août. On n'avait pas le choix ! Les semaines se succédaient, l'enthousiasme des débuts n'avait pas encore été entamé. Bref, l'euphorie primait encore sur la logique. C'était exaltant, le magasin allait bientôt ouvrir. En attendant, c'était la galère, certains des employés pleuraient souvent, tous étaient très fatigués. Il fallait réceptionner la marchandise, la déballer, la mettre sur les tablettes, disposer des emballages, faire le ménage… Et recommencer. Nous travaillions au bas mot douze heures par jour, avec énormément de boulot à abattre dans un très court délai. Mais après tout c'est naturel, me disais-je, quand on ouvre une nouvelle succursale, ça doit être ainsi dans toutes les entreprises.

Le travail d'aménagement du magasin allait bon train lorsque, tout à coup, une employée s'est présentée à mon bureau pour me remettre sa démission. Je ne comprenais pas, mais elle me disait qu'elle n'en pouvait plus. Moi, je lui en voulais un peu de nous laisser ainsi tomber. Je croyais qu'elle ne savait pas ce qu'elle faisait. J'étais tellement déçue, tout juste en poste chez Wal-Mart, et déjà je recevais une démission ! Et voilà que l'adjointe-chef caissière, celle qui devait changer la politique sur l'interdiction de fumer chez nous, démissionnait-elle aussi, en rechignant. Bon débarras ! Je me suis dit que le problème de la cigarette était réglé : on ne pouvait pas prétendre changer une politique de Wal-Mart sans s'exposer à une rebuffade.

En y réfléchissant un peu plus tard, je devais cependant admettre qu'elle n'avait pas tout à fait tort, puisque plusieurs succursales de Wal-Mart avaient aménagé des salles où les employés pouvaient fumer. Il y avait donc matière à rechigner un peu. Quand je m'en suis ouverte au gérant, il m'a donné pour la première fois l'impression d'être sur une autre planète, car il n'a même pas daigné répondre. J'en ai déduit qu'il ne savait trop quoi dire ou bien encore, préoccupé surtout par l'ouverture qui approchait, qu'il n'avait tout simplement pas prêté attention à ma remarque. Sans doute avait-il d'autres chats à fouetter. Je pourrais toujours revenir là-dessus plus tard, quand la situation serait redevenue normale.

Tout se maintenait pour moi au beau fixe. Je m'estimais encore traitée avec des égards. Je prenais part à toutes les réunions administratives. Nous avions trois sujets de conversation : Wal-Mart, Wal-Mart et Wal-Mart encore ! J'étais très bien intégrée au groupe, m'a fait remarquer le gérant. Il m'avait assuré qu'à ses yeux, j'étais une vraie *Wal-Martienne*, et il n'avait pas tort car j'en rêvais de la planète Wal-Mart. Encore un peu et j'en aurais mangé ! Je m'impliquais dans tout. Pour moi, Wal-Mart c'était de l'authentique, du vrai de vrai, ils étaient les meilleurs, les numéros « 1 » au monde et rien ne me déplaisait dans leurs politiques.

J'adorais lire les maximes de monsieur Walton, le fondateur, décédé deux ans plus tôt. J'aurais aimé l'avoir connu. Tous les murs de la salle de repos des employés étaient tapissés de ses mots d'ordre, sages comme des proverbes : Respect des individus, disaient-ils tous, en substance ! Par exemple, il y avait une pancarte où il était écrit :

Si tu fais bien ton travail,
tu vas te sentir heureux.

Seul l'assistant gérant, monsieur Yves, me jetait dans la perplexité. Je le trouvais hypocrite. Je l'observais souvent à son insu sur le plancher et je le surprenais à chuchoter aux oreilles des employés. Je croyais deviner ce qu'il disait. Qu'est-ce qu'il mijotait, celui-là ?.... Je le surprenais souvent à dire des choses contraires à la politique de l'entreprise, ce qui m'agaçait sérieusement. À plusieurs reprises, je lui ai demandé pourquoi il agissait de la sorte, comme s'il cherchait la pagaille au lieu de tendre à l'harmonie. C'était pour mettre du piquant, me disait-il. Il ajoutait que chez son ancien employeur, lorsque les dirigeants voulaient augmenter le rendement au travail des employés, on s'arrangeait pour semer la zizanie. Et il m'a assuré que ça fonctionnait toujours, l'être humain essayant constamment de prouver qu'il est le meilleur. Convaincue que sa collègue du rayon voisin serait jalouse de sa performance, une employée fera tout pour entrer dans les bonnes grâces du patron.

Telle n'était pas mon opinion. Je n'ai jamais cru dans cette façon de voir les choses et de se comporter, aussi j'ai tenté d'expliquer au gérant la conduite de cet assistant gérant. À mon grand étonnement, le gérant n'a pas plus réagi que la fois précédente. J'en ai déduit qu'il était trop fatigué, à ce moment-là, et je n'y ai pas trop porté attention. J'aurais toujours le loisir de revenir là-dessus lorsqu'il descendrait de sa planète…

L'ouverture

Puis la grande journée est enfin venue, celle de l'ouverture officielle du magasin, le 15 août 1995. Je ne tenais plus en place, je jubilais ! Il y avait tellement de monde à l'extérieur, on aurait dit un océan. Je n'avais jamais vu un tel spectacle, je n'aurais jamais imaginé que la « Wal-Mart-manie » allait envoûter à ce point tout New York. Toutes les grosses légumes de Toronto étaient là, discours officiels, allocutions et blablabla... puis le maire de la ville a coupé le ruban rouge et on a ouvert les portes, finalement ! Voir affluer une pareille marée humaine qui montait, et montait, c'était irréel...

C'est alors que le gérant m'a dit que nous devrions vendre pour 500 000 dollars de marchandise durant cette journée. J'ai cru d'abord qu'il plaisantait, mais je me suis aperçue rapidement qu'il était sérieux comme un pape. Je lui ai dit que c'était impossible, qu'il ne devait pas se laisser tromper par l'affluence. En effet, notre ville comptait moins de 12 000 habitants. J'ai essayé de lui faire comprendre qu'à ce compte, ça prendrait dix fois plus de monde. Mais cette fois encore, il ne m'a pas semblé réagir. J'ai laissé passer. Pourtant il devait bien savoir, lui aussi, qu'on ne pourrait pas y arriver. Sauf que lui, ça faisait déjà un an qu'il se faisait savonner le cerveau, à telle enseigne qu'il n'avait plus la force de réagir. C'est ce que j'ai pu constater par la suite à plusieurs reprises, chez d'autres serviteurs de ce soi-disant paradis de l'individu.

Effectivement, les chiffres de vente du lendemain n'étaient pas bons, « pas bons » serait d'ailleurs un euphémisme. Disons-le tout net : c'était bel et bien une catastrophe ! Nous avions atteint à peine dix pour cent de l'objectif ! Ce dont je ne me doutais pas encore, c'était que nous allions revivre tous les jours cette catastrophe.

Étant donné les objectifs des dirigeants de la compagnie, il nous serait impossible de satisfaire leurs exigences.

C'est alors qu'allait commencer la longue glissade vers le fond, car il n'y aurait pas d'accommodements à ces exigences déraisonnables. Plus les journées passaient et plus le gros bon sens prenait le dessus, plus je me disais que quelque chose n'allait pas. Pourtant, à tous les matins, je devais faire la meneuse de claque, et faire hurler d'enthousiasme les *associés* placés sous ma tutelle. Mais à quoi bon m'en faire puisque personne, à part moi, ne semblait y attacher de l'importance. À l'impossible, nul n'est tenu, n'est-ce pas ?

La chanson à succès

En août 1995, quelque chose de magique s'est produit. Une collègue de travail que j'affectionnais particulièrement — car elle brisait souvent la monotonie de l'ordinaire et me faisait rire à en avoir mal au ventre — avait composé en « *bilingue* », une chanson pour la grande ouverture du magasin. Tout le monde adorait cette chanson qui avait du punch. Elle avait même remporté le premier prix de l'initiative personnelle lors de l'inauguration, et on avait remis à l'auteure un téléviseur couleur pour son exploit. Nous en étions tous très fiers.

Toujours est-il que cette collègue m'avait fait part qu'on l'invitait à aller présenter sa chanson à Toronto. Six personnes étaient autorisées à l'accompagner. Elle me demanda si j'étais intéressée. J'ai répondu que oui, bien sûr. De plus, la compagnie nous faisait le privilège de nous envoyer son jet privé pour nous amener à Toronto. Quel honneur, me disais-je. J'ai informé les médias locaux de l'événement, afin qu'ils nous voient décoller du petit aéroport de la ville.

C'était incroyable, même à Ottawa, lorsque je m'acquittais de mes tâches dans les différents cabinets ministériels, je n'avais pas vécu de moments aussi exaltants. Bien sûr, j'avais souvent pris l'avion avec des gens importants. Mais cette fois-ci, je n'étais pas dans le cadre de fonctions officielles, entourée d'un lourd protocole. Cette fois-ci, j'étais avec des camarades de travail, c'était une randonnée de plaisir et nous étions euphoriques comme des écoliers en vacances !

Trois autres employés étaient également du voyage, de même que la sœur de la lauréate, qui l'accompagnerait au clavier électronique. Nous étions ravis ! Une heure plus tard, nous atterrissions à Toronto. C'était le tapis rouge qu'on déroulait devant nous. Impressionnant ! Une limousine nous a conduits à l'hôtel et, toute la soirée, nous avons fait joyeusement la fête. Petit accroc, toutefois au souper, où j'ai été choquée par la conversation de deux des employés qui étaient du voyage. Ces derniers blâmaient les politiques de Wal-Mart : critiques que j'ai trouvées déplacées à un degré inconcevable. Qu'est-ce que ça prenait pour faire leur bonheur ? Que pouvaient-ils demander de mieux ? On les traitait aux petits oignons et voilà qu'ils se plaignaient. Je me suis dit que ces employés étaient très ingrats.

Ce soir-là, j'ai eu beaucoup de difficulté à m'endormir car, malgré mon irritation à l'endroit des critiqueurs, je ne cessais de penser que ces derniers avaient peut-être raison. Je me demandais surtout ce qui les avait amenés à formuler des jugements aussi durs sur la compagnie. Et comme il n'y a jamais de fumée sans feu, je me disais que quelque chose m'échappait. En somme, je me sentais vaguement coupable, mais sans savoir pourquoi. Je ne m'étais peut-être pas montrée assez attentive aux besoins des employés. Quelque chose me glissait entre les doigts, j'avais surtout peur que les critiques de ces employés ne soient fondées, ce qui ferait s'écrouler comme un château de cartes l'image que je m'étais faite de Wal-Mart.

Tôt le lendemain matin, nous sommes arrivés au restaurant de l'hôtel du congrès à Toronto, pour prendre notre petit-déjeuner. Aux frais de la princesse s'il vous plaît ! Une heure plus tard, nous poussions l'impressionnante porte de l'immense amphithéâtre. Quelle ne fut pas notre surprise en y découvrant tellement de monde qu'il nous était impossible de voir jusqu'au fond de la salle. La nervosité s'est emparée aussitôt de chacun d'entre nous. Nous nous rendions compte qu'il nous faudrait chanter devant cette foule de gens !

Jamais nous n'aurions imaginé devoir donner une prestation devant autant de monde. Je commençais à avoir mal au cœur et au ventre. Je sentais des frétillements dans tous mes membres, allions-nous y parvenir ? Et voilà que, de but en blanc, on me chargeait de présenter notre groupe ! Comme je ne m'y étais pas préparée, force m'allait être d'improviser. J'ai repassé dans ma tête deux ou trois traits pittoresques ou marquants sur chaque membre de notre groupe. On nous a aimablement avertis que, lorsqu'on nous appellerait, nous devrions monter sur l'estrade pour notre prestation. Mes jambes tremblaient et je ne les sentais plus.

Durant l'attente, qui nous a semblé interminable, le vice-président de la compagnie s'est adressé à la foule. Soudain, consternation ! Il a dit une phrase qui m'a glacé le sang :

« *You don't do what you want, you do as I say.* » (« Vous ne faites pas ce que vous voulez, vous faites ce que je dis. »)

Avais-je bien entendu ? J'ai demandé à une de mes collègues si elle avait compris la même chose que moi. Oui, j'avais bien entendu. Quelle déception ! Moi qui croyais que les dirigeants de Wal-Mart respectaient les individus, qu'ils écoutaient ce qu'ils avaient à dire. En voilà des façons de faire ! Et dire qu'ils avaient même instauré leur fameuse DPO, visant à soutenir les employés qui croyaient être victimes du harcèlement de leurs superviseurs, pour les aider à dénoncer leurs agresseurs, afin que l'atmosphère de travail demeure sereine. Or, cet homme nous disait le contraire. Incroyable qu'il ose s'exprimer ainsi!.... Surtout que c'était un big boss!

Pourtant, je n'étais pas au bout de mes surprises. La méfiance qui venait de s'emparer de moi allait, hélas, s'installer pour de bon. Nous avons donné notre performance, laquelle nous a valu une ovation. Plusieurs ont pleuré d'émotion. Si j'ai pleuré moi aussi, c'était que je venais de comprendre que je m'étais peut-être trompée sur Wal-Mart. Le fondateur étant mort, il n'était pas impossible que ses successeurs ne pensent pas comme lui. Était-il croyable que tout cela ne soit que bluff, mensonge, poudre aux yeux? Je devenais méfiante.

Après avoir terminé notre petit tour de piste, comme on dit au cirque pour les clowns, nous sommes allés nous asseoir dans une autre salle, en attendant qu'on vienne nous chercher pour nous ramener à l'avion. Tandis que nous parlions entre nous, nous avons vu approcher un dirigeant de la compagnie, rattaché au siège social de Toronto. Il s'était présenté à notre magasin à plusieurs reprises durant l'aménagement. Il est venu s'asseoir avec nous. Il nous a choqués net lorsqu'il a commencé à se moquer de notre petite ville, où, disait-il, le magasin était situé dans un champ au milieu des vaches et que tout autour ça sentait le fumier.

Nous n'étions pas d'humeur à rire car nous étions pas moins fiers de notre ville que de notre magasin. J'ai décidé de ne pas lui répondre et de le tenir pour partie négligeable, ce qui a dû sans doute forcer son attention, car il s'est soudain adressé à moi en particulier, et m'a demandé, en anglais, quelle fonction j'occupais chez Wal-Mart. Je lui ai répondu, plus par politesse que par intérêt, dans sa langue: «*Chief of Staff*». Il s'est mis à rire de moi, en me reprochant de ne pas utiliser le terme correct en anglais pour décrire une gérante du personnel, soit *Personal Manager*.

Je me suis tournée alors lentement vers lui, avec un sourire narquois, pour lui demander comment il pourrait me décrire, en français, ses fonctions à lui, afin que je puisse m'amuser aussi. J'en avais connu d'autres dans ma vie et ce n'était certainement pas son altesse qui allait m'impressionner.

J'ai bien vu qu'il était vexé, ce qui ne m'a pas déplu. Sans compter que cela a eu l'heur de mettre en joie mes collègues de travail. Tout le monde se tordait de rire pendant que lui se demandait toujours ce qui s'était passé, car je ne lui ai plus fait l'honneur de m'adresser à lui dans sa langue. Comme il ne comprenait pas un mot de français, il faisait l'objet de nos moqueries et il s'en doutait bien! Je venais de marquer un point. Je n'étais pas du genre à laisser quelqu'un ridiculiser ma façon de parler sans me défendre, surtout quand les railleries venaient d'une personne qui n'avait même pas le courage d'apprendre notre langue. Il venait régulièrement au Québec pour rencontrer du personnel et il était trop couillon pour faire l'effort d'apprendre un peu de français. Ayant passé bien des années à Ottawa, je savais à quoi m'en tenir sur le choc des langues!

Je suis revenue de ce voyage amère et déçue, d'abord par l'attitude de certains dirigeants de Wal-Mart, ensuite à cause de la discussion de mes deux collègues de travail, qui continuait de me hanter. Je considérais alors le gérant comme un ami. Je lui ai fait part de mes observations, en me gardant bien de lui communiquer ce que les deux employés en question avaient dit contre les politiques de Wal-Mart. Je n'ai pas l'habitude de colporter les propos des autres; et, par-dessus tout, je ne voulais pas mettre le feu aux poudres. Le gérant m'a dit de ne pas m'en faire, qu'à Toronto, parfois, ils ont tendance à se prendre pour d'autres. Nous en avons rigolé, et cela m'a fait du bien.

2

La prise de conscience

Le premier mensonge

Les semaines se succédaient. Je ne pensais plus à la mésaventure torontoise. Je ne savais pas encore ce qui me pendait au bout du nez. Ma méfiance à l'endroit de monsieur Yves s'était assoupie. Mais quoi, j'avais autre chose à faire que d'entretenir des sottes querelles ! En effet, la période de Noël approchait à grands pas, nous étions débordés. Je devais embaucher plus d'employés pour une période temporaire, ce qui signifiait que ces nouveaux employés seraient mis à pied à la fin de la journée du 24 décembre.

Dès la première rencontre, je mis tous les nouveaux embauchés au fait de la situation : ils étaient engagés seulement pour la période de Noël, et leur engagement, ainsi que nos obligations à leur égard, prendrait fin le 24 décembre. J'approuvais totalement l'attitude qui consistait à dire avec franchise aux nouveaux employés ce à quoi ils pouvaient s'attendre. Ainsi tout le monde savait à quoi s'en tenir. J'ajoutais que nous avions aussi, par le fait même, l'occasion de nous faire une bonne idée des performances des employés que nous embauchions sur une base temporaire, et que si nous étions satisfaits, nous les rappellerions plus tard, dès que la somme de travail à fournir augmenterait. Je soulignais le fait que l'achalandage allait croître aux environs de mars, et que ceux qui se seraient distingués par leur bonne attitude et leur sens des responsabilités courraient toutes les chances d'être rappelés.

Ce que je ne savais pas, c'est que monsieur Yves parlait à ces nouveaux employés dans un tout autre sens. Sans doute pour les impressionner et laisser croire que c'était lui qui prenait les décisions, il leur avait fait espérer, à tous, qu'ils resteraient après Noël. J'appris par la suite qu'il aurait tablé sur les soldes du lendemain de Noël (*Boxing Day*). Il leur avait même assuré qu'entre Noël et le jour de l'An, nous aurions besoin d'eux, ce qui était assurément faux. J'ai donc été très étonnée le 24 décembre quand j'ai convoqué, un par un, ces employés dans mon bureau afin de leur rappeler que leur travail prenait fin ce jour-là, tel que convenu lors de l'embauche. Plusieurs d'entre eux se sont mis à pleurer, en disant que ce n'était pas humain de licencier des gens la veille de Noël. J'ai tenté de les rassurer en leur disant qu'ils seraient les premiers à être avisés pour la réembauche, dès qu'il y aurait des heures disponibles. C'est alors qu'une personne licenciée m'a appris que monsieur Yves avait dit à tous les employés embauchés pour la période de Noël qu'ils resteraient plus longtemps que prévu. J'étais bouleversée, je comprenais la peine des gens que je devais mettre à pied. En même temps, je souffrais de mon impuissance à régler la situation.

Il est très difficile de regarder quelqu'un pleurer, surtout la veille de Noël. J'avais le cœur lourd tout en me demandant pourquoi monsieur Yves avait agi de la sorte. Plusieurs années plus tard, j'ai compris ce qui le motivait. Tout ce qu'il voulait, ce petit monsieur, c'était de démontrer que c'était lui qui menait. Je crois que monsieur Yves était tellement imbu de lui-même qu'il ne se souciait pas du mal qu'il pouvait faire aux autres, tout absorbé par la magnifique carrière que le destin, pensait-il, lui promettait. Parfois aussi, je me demande si, au contraire, il n'était pas conscient de ce qu'il faisait, si ce n'était pas conforme à sa nature d'agir ainsi. C'est à croire que cet homme prenait un malin plaisir à humilier les autres. Toutefois, ce que je ne savais pas à cette époque, c'est que j'allais être la cible de cet individu, bon serviteur, qui s'acharnait à appliquer les politiques officielles de l'entreprise. Si cela était une consolation, je pourrais me dire que je n'ai pas été sa seule victime.

Mon premier Noël

Le soir même du réveillon, j'étais invitée chez le gérant. Au cours des mois, notre amitié ainsi que celle que j'entretenais avec son épouse avaient grandi, et nous avions beaucoup de plaisir ensemble. En dépit des politiques de Wal-Mart, interdisant formellement aux employés et à la direction de fraterniser ou de se fréquenter en amis et de se faire des présents, nous avons échangé des cadeaux, des vœux, et trinqué ensemble en contravention, donc, avec les règles de conduite énoncées par la haute direction C'était la première fois que j'enfreignais sciemment un règlement. Mais le gérant était d'accord, alors, pourquoi pas… Après tout, c'était Noël! Et mon premier Noël depuis…

Pour une fois que je m'amuse, me disais-je, car depuis le décès de mon mari ça ne m'arrivait plus souvent. J'avais aussi offert un cadeau à un des assistants gérants, le jeune espiègle, celui que je considérais comme mon petit frère. En l'occurrence une plume « Mont-Blanc », objet pour lequel il mourait d'envie! Puisque j'avais les moyens de faire de tels cadeaux, pourquoi ne pas faire plaisir aux gens? Mais monsieur Yves veillait. Pas besoin de vous dire que lorsque ce dernier a appris la chose, il s'est empressé de me sermonner sur mes écarts généreux. Il a ajouté qu'il passerait l'éponge pour cette fois, mais que pour la prochaine, son devoir serait de sévir. J'en ai fait part au gérant qui me parut dépassé par les événements…

La vie continuait. J'avais remarqué petit à petit que j'étais de moins en moins souvent invitée à prendre part aux réunions du matin chez le

McDonald, attenant aux comptoirs-caisses du magasin. Toutefois, dès que la réunion se terminait, le gérant venait me chercher à mon bureau et nous nous rendions au centre commercial, pour siroter notre café et discuter des problèmes des employés, et j'en profitais pour faire une fois encore les fameuses photocopies. Nous nous absentions ainsi au moins une heure par jour, car c'était le seul endroit ou nous n'étions pas continuellement interrompus par les employés qui cherchaient toujours à attirer notre attention, ce qui nous empêchait souvent de mener nos discussions à terme.

Ça faisait partie de mes tâches que d'écouter les employés et de les guider vers des solutions susceptibles d'améliorer leur rendement. Ce rôle me plaisait beaucoup, car un employé bien informé et bien formé est un employé productif, heureux. Et tout le monde était content ! Mais pour atteindre ce résultat, vu que je ne connaissais pas encore toutes les politiques de la compagnie et comme je ne voulais surtout pas induire les employés en erreur, il fallait bien que je m'informe auprès du gérant, ce qui était impossible lorsque j'étais au magasin.

Dans toutes les entreprises on voit couramment des employés qui veulent, à tout prix, se faire remarquer du patron. Wal-Mart ne faisait pas exception à la règle. Étant responsable de la formation de tous les employés, je devais veiller à ce que chacun reçoive la formation pertinente, afin qu'il s'acquitte convenablement de ses fonctions.

La directive de la porte ouverte

Cette Directive dite de la Porte Ouverte est, dans son essence une démarche confidentielle visant à solutionner des conflits entre un employé et son supérieur.

Les types de conflits les plus courants sont :

- les abus de toute nature ;
- Le fait d'avoir été témoin d'un vol ou d'une fraude ;
- Les harcèlements de toute sorte.

Le principe de la DPO est que l'employé lésé peut contourner son supérieur immédiat et faire appel au supérieur de ce dernier, afin que le supérieur du supérieur intervienne pour régler le conflit. La procédure prévoit que si le supérieur du supérieur s'avère incapable de vider la querelle, l'employé requérant peut remonter encore la chaîne hiérarchique et remonter ainsi, en principe, jusqu'au président de la compagnie Wal-Mart.

Dans le cas où un conflit éclate entre deux employés d'un même niveau, la DPO prévoit que c'est plutôt la gérante du personnel qui interviendra.

Voici quelle rengaine on nous répétait :

Si quelque chose de conséquence ne fonctionne pas avec votre superviseur, vous devez lui en parler. Si ça ne se règle pas, vous devez en parler au superviseur de votre superviseur.

Si c'est toujours pas réglé,
Vous devez en parler
Au superviseur
Du superviseur...
Du superviseur...

Monsieur François

Or, cette directive restait une vue de l'esprit, j'ai pu le constater dans le cas de monsieur François, qui était constamment harcelé par monsieur Yves. Lorsque le premier a décidé de recourir à cette directive, il venait, sans le savoir, de signer son arrêt de mort. Et comme je n'étais pas alors au courant de la supercherie, je n'ai pas pu le mettre en garde. D'ailleurs, comme on le verra plus loin, je devais moi-même goûter à la Directive de la Porte Ouverte... qui se referme à toute volée en vous broyant les doigts !

Dans son cas pitoyable et tragique, monsieur François est passé par toutes les étapes requises. Il avait commencé en tout premier lieu par venir me voir dans mon bureau, pour me faire part du harcèlement que son superviseur lui faisait subir. Je lui ai promis de m'en occuper, et j'en ai aussitôt fait part au gérant. Ce dernier m'a dit qu'il parlerait à monsieur Yves et que la situation devrait changer sous peu. C'était déjà une menace de DPO. La situation a changé, mais pour le pire, puisque monsieur Yves s'est fait un devoir de menacer monsieur François. Il a averti ce dernier que si ça se reproduisait, il en baverait. Je me trouvais, à leur insu, derrière les deux hommes, lorsque monsieur Yves fit ses menaces à monsieur François, en l'abreuvant d'injures, tout en le poussant vers les toilettes des hommes. J'ai prévenu alors le gérant, mais ce dernier me fit l'effet, une fois de plus, d'être dépassé par la situation. Je me souviens qu'il a alors promis de s'occuper du problème.

Les journées passaient et le conflit entre monsieur François et monsieur Yves continuait de s'envenimer. C'est à ce moment que monsieur François, sans même m'en parler, a décidé de téléphoner au siège social de Toronto afin de porter au niveau supérieur le processus de la DPO. Il était loin de se douter qu'il ne faisait ainsi que donner des munitions de plus à monsieur Yves, lequel ne se gênerait pas pour lui tirer dessus par la suite. Ce n'est que quelques semaines plus tard que le gérant m'a appris la démarche de monsieur François, démarche que je ne soupçonnais pas. C'était en janvier 1996, vers la fin du mois.

Le vol

Un soir, le gérant a téléphoné chez moi pour me dire qu'il y avait eu un vol à main armée avec prise d'otage au magasin. Je m'y suis alors rendue pour rencontrer le détective chargé de l'enquête, que je connaissais très bien, et lui faire part de mes observations. Je trouvais étrange qu'un voleur décide de s'attaquer au magasin en janvier plutôt qu'en décembre, car en janvier les ventes sont très faibles. Ce qui m'étonnait encore plus était le fait que le voleur avait pris en otage un employé du rayon de l'électronique. Avant le vol, nous pouvions nettement voir le département sur la cassette vidéo de surveillance; mais juste avant la prise d'otage, un objet avait été placé devant la caméra à dessein d'occulter la vision. La personne qui avait fait cela savait donc qu'il y avait une caméra à cet endroit. De qui pouvait-il s'agir, sinon de l'employé qui avait justement été pris en otage puis avait été libéré parce que les voleurs n'avaient plus besoin de lui? Le détective était également de mon avis mais, en l'absence de preuve formelle, il lui était impossible d'arrêter l'employé soupçonné. Dans les jours qui ont suivi, j'ai été chargée de faire avouer sa complicité à cet employé et de l'inciter à partir, s'il ne voulait pas être poursuivi en justice. Ce qu'il fit sans hésiter. Nous avions vu juste mais nous ne pouvions pas le faire arrêter. Il a compris où était son intérêt et il s'en est allé sans demander son reste. Quelques mois plus tard, par l'intermédiaire des journaux, nous avons appris que ce même malhonnête homme avait été arrêté pour un vol qu'il avait perpétré. Justice avait quand même été rendue.

Le lendemain du fameux vol au Wal-Mart, le gérant, son épouse et moi-même allions tous les trois au poste de police de New York pour discuter de cette affaire, et profiter de l'occasion pour saluer quelques policiers de ma connaissance. J'ai demandé à visiter la prison, je n'y étais jamais allée. Comme je suis curieuse, je voulais voir à quoi ça ressemblait. Nous avons fait une visite de groupe. Durant la conversation avec un des policiers, nous avons appris que certains de nos employés avaient un casier judiciaire. Cela nous étonnait fort. Le service de la sécurité de Wal-Mart à Toronto vérifiait au moment de l'embauche si les nouveaux employés n'ont pas de casier judiciaire. Depuis l'ouverture du magasin, jamais ce service ne nous avait avisés à propos d'aucun de nos employés. On nous a fait voir un registre où figurent les photos de personnes ayant un casier judiciaire, et nous avons constaté avec consternation que la photo de monsieur François y figurait ! Un ange a passé. Normalement, la directive nous oblige à avertir immédiatement le bureau de la sécurité à Toronto, pour lui faire part de notre découverte et lui demander la conduite à tenir dans une telle situation. Or, le gérant m'a dit que monsieur François n'ayant pas fait de prison pour le méfait dont on l'avait accusé, il n'y avait pas lieu de s'inquiéter. Il m'a dit alors qu'il avertirait les responsables de la sécurité pour savoir comment il convient d'agir dans cette situation.

Le harcèlement

Le lendemain, j'ai rencontré monsieur François et je l'ai mis au courant de notre découverte à son sujet. Il s'est empressé aussitôt d'aller à la maison de monsieur Alain, le gérant, afin de lui exposer le contexte de son arrestation. Lorsque monsieur Alain est arrivé au magasin, nous avons reparlé de cette drôle d'affaire et nous avons décidé d'oublier cela pour l'instant. Le gérant a ajouté qu'il s'était renseigné auprès de la sécurité et qu'il attendait une réponse de Toronto. Or, dans le cours de l'enquête des policiers, certains employés, qui étaient présents le soir du hold-up, ont été invités à se rendre au poste de police, afin de regarder les photos de personnes fichées, pour identifier éventuellement le voleur. Comme ces employés ont évidemment remarqué la photo de monsieur François, ça n'a pas pris de temps pour que la rumeur circule dans le magasin: monsieur François est fiché par la police!.... Cela est naturellement venu bien vite aux oreilles de monsieur Yves, lequel n'en demandait pas plus pour continuer à s'acharner contre monsieur François.

Monsieur Yves, se prenant pour un justicier, a continué à talonner monsieur François. Une de ses plus grandes satisfactions était de l'envoyer à l'extérieur pour rentrer les paniers. Il était impossible d'entendre de l'extérieur le haut-parleur du magasin. Monsieur Yves demandait alors qu'on appelle au micro monsieur François pour qu'il se rende aux caisses avant. Parfois il le faisait lui-même. Si monsieur François ne se présentait pas au bout de cinq minutes, monsieur Yves en profitait pour souligner aux caissières le fait que cet incapable n'était jamais là quand on avait besoin de lui. Qu'il perdait sans doute son temps à bavarder. Lorsque monsieur François se rendait finalement compte que monsieur Yves l'avait fait appeler et qu'il se présentait devant lui, il avait droit à des invectives. Monsieur François essayait en vain de se défendre, rien n'y faisait et il se sentait impuissant dans cette situation.

Comme monsieur François me rapportait toutes les vexations que lui faisait subir l'assistant gérant, j'étais toujours aux aguets lorsque monsieur Yves s'adressait à lui. Connaissant maintenant assez bien le personnage, je savais qu'il cherchait seulement à placer monsieur François dans des situations telles que les autres employés pourraient déduire que monsieur François ne travaillait pas très fort. Monsieur Yves montait par la même occasion un dossier défavorable. Étant donné que j'avais entendu monsieur Yves appeler monsieur François à plusieurs reprises après l'avoir lui-même envoyé à l'extérieur, j'ai décidé d'aller retrouver le tourmenteur afin de lui demander de cesser son manège: il savait mieux que quiconque où se trouvait son souffre-douleur, et il fallait arrêter de perdre son temps à l'appeler au micro du magasin.

Je passais donc une bonne partie de mes journées à régler les altercations entre ces deux hommes. Pour la millième fois, j'avais tenté d'alerter le gérant, qui semblait comme jamais flotter sur un nuage, et ignorais complètement mon intervention. Je commençais à douter pour de bon de sa capacité à s'acquitter convenablement de sa tâche. Bon sang! où était-elle, la DPO? Plusieurs employés me communiquaient leurs observations sur l'attitude du gérant: il semblait toujours être ailleurs et ne réagissait aux paroles des employés que par le sempiternel mot «excellent». Cette réplique, que tout le monde exécrait, nous donnait l'impression qu'il ne nous écoutait pas. Puis, il tournait tout d'un coup les talons.

Je me souviens un jour avoir dit au gérant que j'avais commandé un insigne de fonction pour le détective du magasin. Il m'a répondu «excellent». C'était un test, car un détective doit évidemment passer inaperçu. Cet incident m'avait montré que le gérant était à cent lieues de notre discussion et qu'il pensait à tout autre chose. Je lui en ai fait gentiment la remarque, après lui avoir touché l'épaule. Revenant à la réalité, il s'était mis à rire...

Chaque journée apportait sa part de confrontations entre monsieur Yves et monsieur François, au point que la situation devenait insupportable. Vers le début de l'été, monsieur Yves avait été convoqué par la direction, relativement à la procédure de la DPO mise en branle par monsieur François, plusieurs semaines auparavant. D'abord, il était très étrange que monsieur Yves ait été mis au courant, car la directive précise bien que le nom du plaignant ne doit être révélé en aucune circonstance. Or, monsieur Yves avait été informé que monsieur François avait entamé la procédure en déposant une plainte de harcèlement. Évidemment, il n'en fallait pas plus pour mettre, une fois encore, monsieur Yves hors de lui. Dans un pareil cas la Directive aurait dû fonctionner...

Un jour où j'étais à travailler dans mon bureau, monsieur Yves a forcé monsieur François à entrer et a fermé la porte. Ce que j'ai vu et entendu dans les minutes qui ont suivi m'a fait frémir de peur. Monsieur Yves s'était mis à engueuler monsieur François en le couvrant d'insultes. Ses yeux étaient exorbités, il était rouge comme un coq et il avait commencé à faire mine de pousser monsieur François contre le mur. Comme j'avais constaté que monsieur Yves était hors de contrôle, je l'avais saisi fermement afin qu'il reprenne ses esprits. Puis je lui avais demandé de sortir du bureau. Je dois vous avouer que j'avais peur que l'enragé ne fasse une crise cardiaque. Je sentais aussi que monsieur François était sur le point d'exploser et qu'il s'en était fallu de peu pour qu'il expédie un coup de poing au visage de l'autre homme. J'étais bouleversée, je tremblais et j'avais peur de la réaction de monsieur Yves, mais je savais aussi qu'il fallait que j'intervienne. J'ai alors prié monsieur François de quitter la succursale pour quelques heures, afin d'apaiser la situation et me permettre de trouver une solution au problème. J'étais seule face à monsieur Yves, puisque le gérant travaillait chez lui, comme cela arrivait assez fréquemment. Lorsqu'il y avait une urgence on l'appelait et il se rendait à la succursale. Mais dans un cas comme celui-ci, il n'aurait été d'aucune aide. Il aurait refusé d'affronter monsieur Yves. Il aurait peut-être même cherché à l'excuser ou à le couvrir, je me disais… allez savoir!

Je suis allée voir monsieur Yves pour lui intimer de se calmer et je l'ai mis au courant du fait que j'avais renvoyé monsieur François chez lui, afin d'éviter que la situation ne dégénère. Deux heures plus tard, j'ai téléphoné chez monsieur François pour prendre de ses nouvelles. Ce dernier m'a assuré qu'il était prêt à retourner au travail. Mais nul besoin de vous dire que dès que monsieur François a remis les pieds dans le magasin, monsieur Yves, qui l'attendait de pied ferme, l'a invité à sortir, à enlever sa veste de travail ainsi que son insigne, afin de régler la situation d'homme à homme. Comme dans les Westerns. Encore une fois, j'ai dû intervenir afin de retenir monsieur Yves, qui voyait bleu, et j'ai demandé à monsieur François de s'éloigner et d'aller m'attendre dans mon bureau. Je suis sortie avec monsieur Yves afin de l'aider à retrouver ses esprits, et je lui ai demandé s'il se rendait compte de la situation dans laquelle il me plaçait. Je lui ai fait promettre de ne plus chercher la confrontation avec monsieur François, en tout cas, pour le reste de la journée. Je lui ai fait remarquer que ce n'était pas de cette façon qu'un assistant gérant devait se comporter, et que ce n'était pas approprié de provoquer ainsi un *associé*. Il a semblé comprendre. Je suis ensuite rentrée et je me suis dirigée vers mon bureau afin de parler avec monsieur François. Ce dernier avait les nerfs à fleur de peau!

L'homme était assis dans mon bureau, la tête entre les deux mains. Il était rouge et il pleurait. Il ne pouvait pas croire que c'est à lui que cela arrivait. Il était conscient qu'il avait frôlé la catastrophe et qu'il devait faire des efforts immenses pour ne pas s'en prendre physiquement à monsieur Yves. Il m'a dit qu'il n'avait pas le choix, qu'il devait continuer de travailler chez Wal-Mart. À cause de ses responsabilités familiales, il n'avait pas les moyens de quitter son emploi, et il se sentait coincé de toutes parts. Je lui ai fait comprendre qu'il ne devait en aucun cas frapper monsieur Yves, car ce serait faire de son bourreau une victime. Ce serait lui, monsieur François, qui paierait la facture, étant donné qu'il avait déjà un casier judiciaire. Il était évident que monsieur Yves provoquait constamment son souffre-douleur, afin de lui faire perdre tout contrôle et ainsi pouvoir le faire congédier. Bref, c'était l'enfer et monsieur Alain, étant toujours sur une autre planète, ne réagissait à rien. Je ne savais plus quoi faire, la situation devenait intolérable. Je savais en outre que je ne devais en aucun temps m'exposer à la vengeance de monsieur Yves, car je serais alors sa prochaine victime.

Depuis l'ouverture, au moins une trentaine d'employés avaient été victimes des mauvais traitements de monsieur Yves. Pourtant, ce dernier, qui se moquait éperdument des politiques de Wal-Mart, s'en tirait toujours. C'est cela qui m'a fait dégringoler de mon septième ciel, et m'apercevoir que tout ce que l'on m'avait dit sur le respect de l'individu, supposé être la règle numéro « 1 » de Wal-Mart, n'était en fait que du boniment. Au contraire, on aurait dit qu'ils toléraient ces situations.

La valeur du respect

Et les semaines devenaient de plus en plus lourdes. Je constatais une impuissance grandissante à régler les situations critiques. Ayant découvert, suite à la plainte déposée par monsieur François, que la DPO n'était en réalité qu'une supercherie, je réalisais que cette directive servait beaucoup plus à régenter les employés qu'à les soutenir. Ça m'épuisait de me battre constamment, mais je tenais bon.

Décembre 1996, un vendredi 13 en plus. La brigade de la sécurité de Wal-Mart — trois gros messieurs — s'est présentée au magasin. Monsieur Henri, le chef des agents de sécurité, m'a demandé de lui sortir le dossier d'employé de monsieur François. Que se passait-t-il pour que ça prenne trois paires de gros bras pour régler le cas de monsieur François ? Il a appelé ensuite monsieur François au micro en le priant de se présenter tout de suite au bureau du personnel. Monsieur Henri m'a alors demandé de sortir. Monsieur François, penaud, est entré dans mon bureau comme moi j'en sortais, très anxieuse. Je me suis installée sur le banc qui se trouve près de l'horloge pointeuse. Ainsi, je pouvais au moins observer de loin les gestes, essayer de comprendre quelque chose. Au bout de trente minutes, la porte s'est enfin ouverte et tout le monde s'est dirigé vers le bureau du gérant, avec monsieur François qui pleurait. Monsieur Henri m'a fait signe d'approcher. En direction du bureau de monsieur Alain, j'ai pu voir que les gorilles avaient fait signer à monsieur François la feuille verte, ce qui voulait dire qu'il était congédié. Monsieur Henri m'a demandé alors d'accompagner monsieur François à l'extérieur de la succursale, afin qu'il ne vole rien et qu'il ne se blesse pas volontairement dans le but d'empocher les indemnités de la CSST. Lors du congédiement d'un employé ou d'un licenciement temporaire, Wal-Mart procédait invariablement de cette façon.

Je ne savais toujours pas pourquoi monsieur François était congédié. J'avais les larmes aux yeux. Je n'en ai pas cru mes oreilles lorsque monsieur François, une fois à l'extérieur, m'a raconté ce qui s'était passé. Il m'a appris qu'il était congédié à cause de son casier judiciaire. J'avais l'impression de rêver et que j'allais m'éveiller… mais non, monsieur François était toujours assis dans ma voiture et il pleurait, car il ne savait plus quoi faire. Comment annoncer à sa femme qu'il avait perdu son emploi si près de Noël ? J'étais révoltée devant tant d'injustice, et je lui ai assuré que je le supporterais toujours. Je serais à ses côtés aussi longtemps qu'il aurait besoin de moi. Je me disais, en mon for intérieur, que son congédiement ne reposait sur aucun motif valable.

Après avoir consolé monsieur François de mon mieux, je suis retournée à l'intérieur de la succursale. J'étais en furie, cette fois ils étaient allés trop loin, j'allais briser le mur du silence ! Je me suis donc immédiatement dirigée vers le chef de la sécurité pour lui dire qu'il était impossible qu'il n'ait pas été au courant du dossier, alors que la direction du magasin de New York savait parfaitement que monsieur François possédait un casier judiciaire. Ça ressemblait fâcheusement à un congédiement illégal.

J'ai ajouté que monsieur François m'avait affirmé vouloir poursuivre la compagnie et que si j'étais appelée à témoigner, je ne pourrais dire que la vérité et rien d'autre. J'ai affirmé que jamais je ne mentirais pour servir les intérêts de Wal-Mart en regardant, droit dans les yeux, le gérant du magasin. Il a certainement pu percevoir mon dégoût, car il paraît que je suis incapable de dissimuler mes sentiments.

Quelque temps après, monsieur François a décidé de poursuivre Wal-Mart. Huit ans plus tard, il lutte toujours contre la compagnie et je suis encore près de lui. J'ai dû témoigner pendant toute une journée et monsieur François a finalement gagné cette bataille, mais pas la guerre. Au moment où j'écris ces lignes, Wal-Mart refuse toujours de payer la sanction ordonnée par la cour et fait en sorte que les choses traînent en longueur. Les dirigeants de Wal-Mart croient peut-être qu'il se fatiguera et lâchera prise, mais je sais qu'il ne lâchera jamais. Bravo monsieur François! Je ne comprends pas comment il est possible que Wal-Mart puisse impunément ne pas se conformer aux consignes et ignorer les ordonnances de la cour.

Le deuxième mensonge

J'avais un autre deuil à faire, jamais plus je ne verrais les choses de la même manière. J'essayais de comprendre pourquoi le gérant n'avait pas avoué ce qu'il savait. Il aurait été le seul à pouvoir intervenir pour changer les choses mais il niait tout. Pour démontrer qu'il ne savait rien, il était allé jusqu'à soutenir qu'il n'avait jamais mis les pieds au poste de police de New York. Ce qu'il ne savait pas, c'est que son mensonge lui serait remis sous le nez. Le jour du témoignage, en cour, il était encore cantonné dans la négation. Il ne se doutait pas que le policier qui nous avait fait visiter la prison de New York était appelé à témoigner.

Ce policier a confirmé que monsieur Alain, son épouse et moi-même, au moment où nous sommes allés au poste de police, avions bel et bien visité la prison. Visiter une prison, ça ne se fait pas tous les jours. Le policier se rappelait donc très clairement notre visite. Le gérant m'a confié ensuite dans le corridor qu'il ne travaillait plus pour Wal-Mart, et que la compagnie lui avait offert de l'argent pour qu'il démissionne. Je présumais que lorsque la compagnie s'était rendu compte qu'il avait menti sur toute la ligne et qu'il n'était plus utile, lui aussi a eu droit à son ticket.

Le cas de monsieur François n'a été malheureusement qu'un parmi bien d'autres, dans la masse des dossiers litigieux à la succursale de New York. Cependant, je dois dire que ce ne sont pas tous les assistants gérants qui étaient aussi déplaisants. Par exemple, le jeune espiègle, qui avait été notre soleil, était parti travailler pour une autre entreprise. Malheureusement pour nous, ce soleil qui éclairait nos journées moroses s'était volatilisé. L'autre assistant gérant, monsieur Jean-Paul, que j'ai décrit comme un vrai professionnel, possédait un sens accompli du devoir. Cet homme était d'une intégrité à toute épreuve, sans cesse sur la brèche, souvent à l'écoute de ses employés. Parfois dérouté par certaines attitudes, mais toujours dans le droit chemin. Je l'admirais beaucoup.

3

L'entourloupette

L'histoire de madame Lucienne

Revenons quelques années en arrière, à ma rencontre avec madame Lucienne, qui m'avait donné froid dans le dos lorsque je l'avais vue la première fois, lors de ma formation. J'aurais dû me fier à mon instinct! Mais je ne savais toujours pas pourquoi elle avait agi aussi malicieusement avec moi. Elle me détestait tellement que toutes les occasions étaient bonnes pour m'humilier devant les autres employés. Elle me houspillait durant la réunion quotidienne et, croyez-moi, elle ne mâchait pas ses mots. Dès lors j'ai commencé à me méfier. Grand bien m'en a pris, car je ne sais pas ce qui me serait arrivé sans cela. Il ne fait aucun doute que l'événement que je vais relater ne m'a pas aidée à monter dans son estime mais, en la circonstance, je ne faisais que mon travail.

Le matin de l'ouverture du magasin, 15 août 1995, j'ai vu madame Lucienne arriver au magasin. Tous les employés devaient être à leur poste pour huit heures trente. Elle était en retard, puisque je l'avais vue courir dans le corridor. Après la cérémonie d'ouverture, madame Lucienne était venue me voir pour me dire qu'elle avait oublié de poinçonner à son arrivée. Je lui avais alors demandé à quelle heure elle était arrivée. Elle avait répondu huit heures et demie. Je lui ai dit que je l'avais vue arriver à neuf heures et que ce n'était pas honnête de sa part de prétendre le contraire. Elle m'avait alors lancé un regard de feu et m'avait dit, ou pour mieux m'exprimer, hurlé, que j'étais possédée par le démon. Elle avait ajouté que, sans doute, je couchais avec le gérant du magasin, et qu'elle préviendrait tout le personnel de se méfier de moi. Le lendemain, j'avais fait part au gérant de ces propos et lui avais dit que j'étais blessée par cette attitude, et très inquiète. Il m'avait dit de ne pas m'en faire, qu'il parlerait à madame Lucienne et il m'a appris qu'elle était un cas problème à son ancien magasin, ce qui avait motivé son transfert. Je ne comprenais pas que Wal-Mart transfère ses problèmes plutôt que de les régler. Il m'a confié que madame Lucienne était sans doute autre chose qu'un banal cas problème. J'étais consternée, car je me doutais bien que quelque chose ne tournait pas rond dans la tête de cette femme.

Quelques jours plus tard, comme j'avais tâché d'oublier l'incident, madame Lucienne était entrée dans mon bureau et m'avait traitée de bavasseuse, de salope, et d'hypocrite. Je lui avais dit que c'était mon devoir de veiller à la bonne conduite des employés afin d'assurer l'équilibre dans notre milieu de travail. J'avais essayé de lui faire comprendre que ma position de gérante du personnel me demandait d'être vigilante et de surveiller les employés pour éviter tout abus. Sur le coup, elle avait réagi plutôt bien. Elle s'était excusée et elle était repartie vers son poste de travail. Elle était assignée aux cabines d'essayage. Par la suite, toujours sur mes gardes, j'ai commencé à faire mon enquête sur son comportement. J'ai alors appris qu'elle menaçait constamment les employés, qu'elle les insultait souvent, leur criait après. Tout le monde là-bas avait peur d'elle. Ainsi, c'était à nous qu'on avait refilé ce problème! Quand j'ai reparlé au gérant de mes craintes, ce dernier m'a semblé plutôt ennuyé. J'ai cru deviner qu'il en avait peur lui aussi, et qu'il se bornait à souhaiter que le problème disparaîtrait de lui-même. J'ai essayé de défendre mon point en lui faisant part de mon angoisse. Il m'a assuré qu'il ne pouvait rien m'arriver, car toute la direction était au courant des manières inqualifiables de cette employée.

Pourtant la situation s'était tellement détériorée qu'à un moment, le gérant à dû faire venir madame Lucienne dans mon bureau afin de la soumettre à un *coaching*. Le *coaching*, je me permets de vous le rappeler, est un accompagnement individuel en entreprise, ayant pour objectif de signifier à un employé récalcitrant que son attitude le conduit directement vers la porte de sortie, à moins que la situation ne s'améliore rapidement ; de plus, cette procédure prive l'employé de toute augmentation de salaire pour une période déterminée. Les menaces ont alors volé dans ma direction. J'étais consciente que rien n'allait changer, sinon que ma situation irait de mal en pis. Le gérant et monsieur Yves en ont été témoins. À chaque fois que je me présentais aux cabines d'essayage, je pouvais l'entendre vociférer des menaces à mon égard, et dès qu'elle me voyait arriver, elle se taisait et me regardait avec son regard égaré, qui en aurait désarçonné plus d'un. Bien que ses calomnies à mon endroit visaient à miner mon autorité, j'avais décidé de ne pas m'en laisser imposer. J'étais dans un cul-de-sac et je ne savais pas comment m'en sortir. Madame Lucienne a continué de travailler aux cabines d'essayage, j'ai réussi à me rapprocher d'elle, et à lui rendre l'existence moins intolérable.

Monsieur Yves joue double jeu

Ayant jaugé la situation, monsieur Yves s'empressa d'en tirer parti. Il se rendait aux cabines d'essayage et recommandait à madame Lucienne de faire attention, car je lui aurais dit certaines choses à son sujet. Il lui disait de se méfier, car mon but était de la faire congédier. Ensuite, il venait dans mon bureau afin de me confier ce que madame Lucienne avait raconté sur moi : plusieurs menaces soi-disant proférées par madame

Lucienne et qu'il prenait un malin plaisir à me rapporter. On voyait sur son visage la jouissance perverse qu'il y prenait. Et moi, je répondais que ça prendrait plus qu'une madame Lucienne pour me dérouter. Aussi sec, il se détournait alors de moi et quittait mon bureau. Je ne croyais pas trop ce que monsieur Yves racontait car, à plusieurs reprises, je l'avais surpris à pratiquer son petit manège avec d'autres employés sur le plancher. Par exemple, une fois il avait monté l'une contre l'autre deux gérantes de rayon. Il était allé voir la première, en lui disant que la seconde lui avait confié qu'elle travaillait comme un emplâtre. Cette tactique venimeuse avait si bien fait son œuvre que j'avais dû convoquer ces deux femmes dans mon bureau, afin d'apaiser une querelle qui semblait ne jamais devoir s'éteindre. Je comprends aujourd'hui que monsieur Yves exacerbait continuellement la rivalité entre ces employées. Et croyez-moi, leur cas particulier était loin d'être une exception !

La tactique du rapprochement

J'avais de la difficulté à accepter la façon d'agir de monsieur Yves. J'ai décidé de prendre le taureau par les cornes et de l'affronter. Je lui ai dit que je savais ce qu'il trafiquait. Je n'étais pas d'accord avec cette façon d'agir qui causait beaucoup de préjudices à la compagnie et qui semait la zizanie parmi le personnel. Il m'a répondu que je faisais trop de cas des politiques de la compagnie, que je ferais bien également de tempérer mon caractère, car tout cela n'était pas bon pour ma santé. Sans mâcher mes mots, je lui ai aussi parlé de son attitude avec les dirigeants de la compagnie, je lui ai dit que je le trouvais lèche-bottes et qu'il devrait arrêter de marcher sur les genoux car son pantalon était élimé. Il a alors avoué qu'il s'était toujours comporté comme ça : il n'y pouvait rien, il était trop vieux pour changer. J'en suis restée bouche bée. Jamais je n'aurais pu croire qu'un être humain puisse ramper ainsi et revendiquer tranquillement sa bassesse !

La Commission de la santé et de la sécurité du travail

Parlons de mon premier cas de CSST, madame Hélène. Lors de l'entrevue initiale d'embauche, j'expliquais en détail au futur employé la marche à suivre en cas d'accident de travail. Premièrement, il fallait immédiatement rapporter l'accident à la direction. L'employé devait cesser de travailler et être conduit à l'hôpital sur-le-champ afin de consulter un professionnel de la santé sur la gravité de la lésion.

Or, les choses ne se sont pas passées exactement de cette façon dans son cas. Elle s'était blessée au pied avec une palette pour le transport, elle l'avait appris à un autre employé. Puis elle était rentrée chez elle, croyant sa blessure sans gravité. Mais le lendemain matin, à son réveil, elle avait constaté qu'elle ne pouvait plus marcher.

Elle s'est alors rendue à l'hôpital. Après l'avoir examinée, un médecin lui avait signé un formulaire d'arrêt de travail. Elle m'avait alors téléphoné de chez elle pour me faire part de sa condition. Je lui ai dit que, dès qu'elle serait en mesure de se déplacer, elle devrait venir me voir afin que l'on complète ensemble le formulaire de la CSST.

J'ai parlé de cet incident au gérant, qui m'a semblé très contrarié, mais sans plus. Alors, je ne sais comment il l'a su, mais fidèle à son habitude, monsieur Yves s'en est mêlé. Il y a des fois où je me demandais qui était le véritable gérant du magasin, si ce n'était pas monsieur Yves ! Il m'a dit que l'accident de madame Hélène ne s'était pas vraiment produit, et qu'elle avait fait semblant de se blesser uniquement pour embêter la compagnie et abuser du système. J'ai été évidemment très fâchée d'entendre cela, car je n'aime pas les menteurs. S'il disait vrai, ça signifiait que madame Hélène avait menti. J'ai alors téléphoné à madame Hélène chez elle et lui ai rapporté les allégations dont elle faisait l'objet. Cette dernière, qui n'était pas du genre à se laisser manger la laine sur le dos, était très offusquée. Elle s'est présentée au magasin dans l'heure qui a suivi. Notre employée avait beaucoup de difficulté à se déplacer et il sautait aux yeux qu'elle était souffrante. Elle m'a montré son pied, manifestement enflé. Je me suis excusée auprès de cette femme d'avoir pu la soupçonner. Puis nous avons complété ensemble les formulaires pour la CSST et pour le bureau-chef national. Par téléphone, j'ai aussitôt fait connaître cet accident au département de la santé et sécurité de la compagnie, au bureau de Toronto.

Ensuite, madame Hélène et moi, nous avons discuté dans mon bureau des mesures à prendre pour l'avenir. Madame Hélène est allée voir le gérant dans son bureau. Il s'en est suivi une vive discussion. Et devinez qui était aux aguets ? Monsieur Yves, bien sûr ! Il s'était mis en tête qu'il fallait se débarrasser de madame Hélène. Cette façon de faire était typique. La haute direction nous demandait de contester systématiquement tous les cas de CSST. Un moyen de contester était de nier que l'accident s'était produit sur les lieux de travail. Si nous devions toutefois être tenus responsables, on devait alors assigner cette personne à des travaux légers. J'ai eu l'occasion de le constater à maintes reprises durant mes années à l'emploi de Wal-Mart. Monsieur Yves harcelait l'employé en cause et, avec tous les cas de CSST, j'ai pu constater que c'était la manière dont ils procédaient pour se débarrasser des employés jugés récalcitrants. Vous n'aviez qu'à protester une fois, et vous étiez aussitôt mis sur une liste noire.

Le harcèlement envers madame Hélène s'est poursuivi. Cette dernière était gérante du rayon de l'alimentation. Elle faisait du bon boulot. Tout à coup, peut-être pour la dénigrer, on avait commencé à me dire qu'il y avait du laisser-aller dans son travail. Pourtant, on lui imposait une charge de travail bien plus lourde qu'à d'autres gérants de rayons. Elle était constamment surveillée et, dès qu'elle faisait la moindre erreur, elle se faisait réprimander. À la longue le poison a commencé à faire son effet. Madame Hélène a perdu petit à petit sa confiance en soi : elle tournait en rond, elle était devenue moins efficace. Wal-Mart ne pouvant la mettre à la porte, madame Hélène ne pouvant supporter les magouilles de monsieur Yves, elle a dû demander un transfert pour un autre magasin.

La militante

Madame Hélène était une personne honnête et tenace, elle n'hésitait pas à faire front à l'adversité. C'était une battante qui ne s'en laissait imposer par personne. C'est elle qui plus tard a été la première à essayer d'introduire un syndicat chez Wal-Mart, au Québec. Au moment où j'en ai été mise au courant je commençais à comprendre pourquoi elle le faisait et, en silence, j'ai admiré sa détermination. Pourtant, ils ont finalement eu sa peau. Un beau jour, madame Hélène a quitté l'empire Wal-Mart. Mais elle avait laissé un souvenir que Wal-Mart aurait beaucoup de difficulté à gommer : grâce à madame Hélène, le syndicat allait frapper au portail de l'empire. Sachez madame Hélène, je ne vous oublierai jamais, c'est peut-être grâce à vous que les travailleurs sauront finalement qu'ils n'ont d'autre choix que de se syndiquer pour être enfin respectés.

Les femmes enceintes non plus n'étaient pas très bien vues chez Wal-Mart, car on devait leur assigner des travaux légers. Or, les travaux légers, ça n'existe pas chez Wal-Mart ! Même dans le cas du travail de bureau, la CSST devait s'assurer par elle-même que les conditions étaient acceptables pour les futures mamans. La première de celles-là travaillait au bureau. La deuxième n'avait pas entraîné d'inconvénients non plus : j'avais pu la prendre sous mon aile, et lui confier des petits travaux de bureau avec moi. Pour la troisième, madame Léa, ç'a été une autre histoire, parce que monsieur Yves s'en est mêlé. Lorsqu'il a su qu'elle était enceinte, il m'a demandé de la faire travailler à l'accueil. Je lui ai répondu que ce n'était pas une bonne idée, car il faisait très froid à cet endroit.

Nos préposées à l'accueil attrapaient souvent un rhume ou une grippe. Il y en a même une qui avait été hospitalisée pour une pneumonie. J'ai essayé de lui faire comprendre qu'une femme enceinte ne pouvait prendre de médicaments si elle tombait malade, et que nous devrions trouver une autre solution. Il m'a alors répondu que comme c'était la CSST qui avait décidé cela, il fallait s'y résoudre. J'ai alors téléphoné à la CSST pour faire part de mes inquiétudes concernant cette affectation. La fonctionnaire de la Commission n'était pas au courant qu'il faisait si froid à l'accueil, on ne lui avait pas dit que les employés qui y travaillaient devaient porter leurs bottes et que, malgré tout, ils avaient constamment les pieds gelés. Elle m'a alors dit que nous ne devions plus affecter de femme enceinte à l'accueil durant les mois d'hiver. Je suis allée voir le gérant du magasin, et l'instruire de ma démarche. Il m'a dit de m'occuper de madame Léa comme je le pouvais sans la renvoyer chez elle, parce que ça coûtait trop cher à la compagnie. Comme si Wal-Mart ne pouvait pas payer…

Un peu plus tard, après que le gérant a été transféré de magasin, la nouvelle gérante, madame Paulette, s'est montrée encore plus intransigeante que monsieur Yves. Elle était sans pitié pour les femmes enceintes. Imaginez donc cela, de la part d'une femme ! Une journée, j'avais dû m'absenter de mon bureau pour environ une heure. En partant, j'avais confié quelques petits travaux à madame Léa. Lorsque je suis revenue au magasin, je l'ai aperçue avec un instrument Telson, qui sert à faire les changements de prix. Imaginez, elle était enceinte de huit mois, ses pieds étaient tellement enflés qu'elle devait porter des pantoufles en laine pour marcher, et on l'avait mise sur le plancher au milieu des clients ! Pas besoin de vous dire que j'étais en furie… il fallait qu'elle se penche sans cesse pour étiqueter la marchandise, elle aurait pu être bousculée, accidentellement, par un panier d'emplettes. J'ai alors téléphoné à la CSST pour les tenir au courant de la situation. La dame au téléphone m'a alors dit que je devais renvoyer madame Léa chez elle afin qu'elle puisse se reposer et ce, jusqu'à la fin de sa grossesse. Ce faisant, je m'étais attiré la foudre, et j'allais goûter à la médecine de madame Paulette.

La gérante

Presque deux ans écoulés depuis l'ouverture, et je venais de compléter une période que je qualifiais de funeste. L'ancien gérant était certes un brave homme, mais son inaction faisait que plus personne ne savait où donner de la tête. Nous avions perdu un bon ami, mais on nous soulageait d'un gestionnaire médiocre. Ou bien était-ce la DPO qui ne fonctionnait pas aussi bien que nous l'aurions souhaité ? J'espérais que la nouvelle gérante, madame Paulette, rétablirait une discipline et que nous aurions enfin une bonne direction.

Deux semaines après son arrivée, elle était venue me voir, pour lier connaissance avec moi. Ce qui m'a agacée, durant sa visite, c'est qu'elle n'arrêtait pas de vanter les mérites de son ancienne gérante du personnel du magasin. Je ne doutais pas des capacités de cette dernière : après vingt ans ou plus d'expérience, on est fatalement bonne, voire excellente. Un soir, alors que je quittais le magasin, madame Paulette, qui était sur le plancher, m'a fait signe de m'approcher. Elle m'a alors demandé de lui communiquer dorénavant tout, absolument tout, ce que les employés me diraient dans mon bureau. Je lui ai répondu que si

Reprenons le calcul.

les employés me faisaient confiance, c'était justement parce que je savais garder pour moi les confidences qu'on me faisait. Mais j'ai convenu avec elle que s'il surgissait quelque chose de grave, je la tiendrais au courant. De toute façon, lorsqu'un gros problème se présentait, j'avertirais l'employé qui venait s'en ouvrir à moi que je devais en aviser la direction si on voulait régler le problème. Jamais personne ne s'était opposé à cela. Dans les jours qui ont suivi, j'ai constaté la froideur grandissante de madame Paulette à mon égard.

Lorsque nous avons eu un séminaire réunissant toutes les gérantes du personnel du district, la première chose que les autres m'ont dite, c'était à peu près ceci : « Pauvre de toi, on ne voudrait pas être à ta place ! ». Même la gérante du personnel que madame Paulette préférait était de cet avis. Elle m'a révélé que les employés de son ancien magasin étaient très heureux de son départ. J'étais dans de beaux draps ! Je n'aurais jamais pu imaginer à quel point cette femme pouvait être ratoureuse et vicieuse lorsqu'il s'agissait d'obtenir ce qu'elle voulait. Elle savait utiliser la DPO et c'était un outil taillé sur mesure pour la besogne qu'elle devait accomplir.

Vous allez sans doute vous demander pourquoi je ne quittais pas cet endroit exécrable ? C'est que moi aussi j'étais une volontaire et une battante. Quand j'étais dans mon droit, je n'avais pas l'habitude de me dégonfler devant quiconque. Et je croyais encore, à ce moment-là, que ce n'était qu'une infime partie de la direction qui était fautive. Aujourd'hui, il faut bien que j'admette que je me suis trompée. Je crois maintenant que la majorité des personnes qui dirigent la compagnie Wal-Mart n'ont qu'une idée en tête: abuser de leur pouvoir en maintenant les employés dans un état d'infériorité. C'était organisé en système. La plupart d'entre eux n'ont presque pas fait d'études et ils se retrouvent tout à coup avec une gérance de magasin sur les bras. On en connaît qui ont perdu la tête pour moins que cela.

Les promotions

Voici comment on accordait les promotions chez Wal-Mart. Lors de l'entrevue initiale d'embauche, je disais aux nouveaux employés qu'ils avaient la chance de travailler pour une compagnie ayant à cœur l'avancement de ses employés. Dès qu'un poste devenait vacant, j'affichais la description du poste au tableau près de l'horloge pointeuse, et tous les employés avaient le droit de postuler, sauf ceux évidemment qui étaient sous l'effet d'un *coaching*. J'étais en charge d'un comité de sélection des nouveaux employés. Ce comité de cinq personnes était composé d'employés choisis sur le plancher. Des gérants de rayons, pour la plupart. Ces employés étaient recrutés après avoir déposé une demande auprès de la direction. Il n'était pas donné à n'importe qui de pouvoir siéger à ce comité. Pour être élu, il fallait être facile à manipuler, pas trop « chiâleux » et trois fois très zélé. Lorsqu'un poste était affiché, j'avais donc en réalité le mandat d'amener le comité à choisir la personne que la direction avait déjà désignée.

Imaginez un peu la situation. Convoquer un comité pour sélectionner un candidat alors que, pendant tout ce temps, le poste est déjà assigné à quelqu'un ! Au début je faisais ce que la haute direction me disait de faire. Peu à peu, je commençais à me déprogrammer. J'étais tellement mal à l'aise que, souvent, je ne disais pas un mot de toute la réunion. J'avais l'impression de jouer dans un mauvais film où on sait que le réalisateur n'a qu'à suivre le plus prévisible des scénarios. Généralement, ça fonctionnait, mais après un temps, certains employés avaient commencé à demander des comptes. Après tout, ce n'était pas des parfaits idiots qu'on employait.

Certains employés me faisaient part de leurs soupçons ; ils me disaient que tout était arrangé d'avance et qu'on ne les reprendrait plus à poser leur candidature pour faire partie d'un comité bidon. Que vouliez-vous que je leur dise ? Je me taisais plutôt que de mentir, mais mon silence était très éloquent, ce dont monsieur Yves s'était aperçu très vite. Un jour, il m'avait livré ses commentaires en me disant que si je voulais être traitée comme un membre de la direction — ce qu'en réalité je n'étais pas — il fallait que j'agisse comme eux. Je répliquai aussitôt que jamais je ne m'abaisserais à ce niveau et que je valais mieux que cela.

Je lui fis remarquer que j'avais une réputation à toute épreuve à New York et que je ne laisserais certainement personne la compromettre chez Wal-Mart. Ainsi, la guerre était déclarée ! Dorénavant, je rendrais coup pour coup : j'attaquerais, je me défendrais et je ne les laisserais pas m'endoctriner.

Le départ de monsieur Jean-Paul m'a causé beaucoup de peine car, s'il y en avait un qui avait le sens de l'intégrité, c'était bien lui. Mais il était avant tout humain et je crois, bien qu'il ne me l'ait jamais dit, qu'il en a eu assez, lui aussi de ne pas faire de profits, même s'il appliquait à la lettre les directives de monsieur Walton et non ce qu'elles sont devenues. Il a obtenu un transfert et s'en est allé tout doucement. Je n'oublierai pas monsieur Jean-Paul car souvent, c'était lui qui, sans le savoir, faisait en sorte que certains employés croyaient encore aux politiques de la compagnie. Mon travail devenait beaucoup plus difficile, sans lui.

Qui donc avait droit à de l'avancement chez Wal-Mart ? Les employés qui ne rouspétaient jamais et qui faisaient toujours ce qu'on leur demandait. Souvent c'étaient les mêmes qui venaient dans mon bureau pour se plaindre de la mesquinerie des dirigeants. Dans mon dictionnaire, je les appellerais des visages à deux faces. Il y a de ces employés qui se fendent en compliments devant leur superviseur, mais dès que ce dernier tourne le dos, ils s'empressent de lui faire un bras d'honneur. Madame Paulette ne saura jamais le nombre d'employés qui venaient dans mon bureau pour me rapporter qu'elle était méchante. Combien de fois ai-je surpris des employés se moquant ouvertement d'elle lorsqu'elle était en congé ! Mais l'essentiel pour la direction de Wal-Mart, était que ces employés demeuraient maniables.

L'arnaque

À quelques reprises, on faisait venir ces employés dociles dans les bureaux en arrière et on établissait leur évaluation de rendement sur du beau papier bleu. Cela leur valait une augmentation de 50 cents de l'heure. On leur disait de n'en parler à personne : ça ferait des jaloux. Ce que ces employés ne voyaient pas, c'est que leur augmentation leur occasionnait beaucoup plus de travail, car on ne donnait rien pour rien chez Wal-Mart. Au lieu d'embaucher un employé supplémentaire, qui aurait coûté 7,50 dollars de l'heure, on augmentait graduellement les tâches de l'heureux élu qui, sans s'en apercevoir, se retrouvait après un certain temps à travailler deux fois plus qu'avant. Mais il était heureux, il avait eu un beau petit papier bleu et 50 cents d'augmentation. Tout cela agrémenté d'une petite tape dans le dos, en se faisant dire : « Continue ton beau travail, tu vois ce que ça donne de fermer sa gueule chez Wal-Mart. »

Je dois dire que je les trouvais forts dans leur manipulation. Vous ne me croirez peut-être pas,

Le résultat.

mais lorsque nous avons ouvert la succursale de New York, nous avions un actif de 95 employés sans quart de nuit ; trois années plus tard, nous n'en comptions plus que 80 incluant, un quart de nuit de huit employés. Imaginez l'argent sauvé, voyez le revirement de situation, tout cela sans que personne ne le remarque. Admettons qu'ils sont vraiment très forts, les dirigeants de Wal-Mart ! C'est que je n'avais pas idée de la puissance de l'empire pour lequel je travaillais. Aujourd'hui, je comprends que, lorsque Wal-Mart demande, Wal-Mart obtient. Tous sans exception, dans n'importe quel milieu, y compris le milieu politique, les accueillaient à bras ouverts : *They welcomed them.* Malgré tout, j'estimais qu'il valait la peine que je continue à me battre pour mes idéaux. Ironiquement, un de mes plus grands idéaux est le respect de l'être humain, et c'est cet aspect qui m'avait le plus impressionnée lors de ma première entrevue chez Wal-Mart. Et pourtant…

La sélection naturelle selon Wal-Mart

Une autre façon de rentabiliser la compagnie consistait à lancer des concours. Par exemple, on avait demandé aux employés de trouver un slogan pour la publicité de la compagnie. Celui qui aurait trouvé une idée originale et payante recevrait la mirifique somme de cinquante dollars, plus une action de la compagnie. Savez-vous combien ça coûte d'engager des publicitaires pour réaliser de tels projets ? J'étais toujours étonnée de constater que personne ne semblait se rendre compte qu'il était en train de se faire avoir. Bien au contraire, les employés étaient tous fiers de contribuer à l'expansion de l'empire Wal-Mart.

Quelques fois, je me demandais vraiment si c'était bien des êtres humains que j'avais devant les yeux. La plupart du temps, ils me faisaient penser à un troupeau, têtes baissées, marchant tous dans la même direction. Ruant dans les brancards quelquefois mais toujours de retour au bercail pour recevoir leur pitance. Mais comme monsieur Yves, ce grand philosophe, me le rappelait si souvent, ça prend de telles personnes pour qu'on puisse distinguer les imbéciles des êtres intelligents ; ça prend des ruminants pour nourrir les lions.

Monsieur Yves m'avait fait remarquer, je ne sais plus combien de fois, qu'il ne fallait pas embaucher des gens trop éveillés, ils sont difficiles à manipuler. Il me demandait de m'assurer que les futurs candidats étaient dans la misère. Ainsi, il serait plus facile de les modeler à la façon Wal-Mart, car une fois qu'ils auraient goûté à l'assurance de recevoir toutes les deux semaines une paye, même modeste, ils comprendraient vite qu'ils ne pouvaient pas retourner au maigre quatre cents dollars par mois des prestations de l'aide sociale. Et ça marchait !

Pour la majorité d'entre eux, mieux valait un beau neuf cents dollars brut par mois qu'un maigre quatre cents dollars. Certaines femmes devaient payer des frais de garderie pour leurs enfants, des frais de déplacements, ou acheter une voiture. Le magasin étant situé à une extrémité de la ville, personne ne pouvait s'y rendre à pied, du moins pas les résidents des HLM, situées à l'autre extrémité de New York. Combien de fois ai-je vu des femmes s'acheter de vieilles autos usagées pour venir travailler ! L'été ça allait encore, mais dès l'hiver venu, c'était la même rengaine, celle du tacot qui refuse de démarrer. Il fallait faire survolter la batterie et ça coûte cher, surtout quand le froid intense ne démord pas pendant une semaine. Imaginez l'angoisse de ces femmes qui, avant même de commencer leur journée de travail, qui débutait à six heures trente le matin, devaient vivre presque quotidiennement le stress de la voiture qui ne démarre pas, le déboursé pour le survoltage de la batterie, et tous les frais et inquiétudes liés à cet état de choses. Je me souviens d'une employée en particulier, à qui je devais constamment faire une avance sur son salaire afin qu'elle puisse manger et nourrir son enfant.

La misère était grande parmi les employés de Wal-Mart. Je peux en témoigner. Au tout début de l'existence du magasin, j'ai aperçu un jour, dans la salle repos une employée assise à une table, l'air préoccupé. Lorsque je lui ai demandé ce qui n'allait pas, elle a éclaté en sanglots. Je l'ai alors invitée dans mon bureau. La porte refermée, elle m'a confié qu'elle n'avait plus rien à manger depuis deux jours. Comble de malheur, elle avait une petite fille! Je lui ai proposé de lui faire une avance sur son salaire. Mais je n'étais pas sans savoir qu'en acceptant cette aide, elle tombait dans un cercle vicieux car, automatiquement, sa paye serait moins grosse la prochaine fois. J'étais consternée! Toutes les années que j'avais passées à Ottawa, je me rendais compte que j'avais vécu dans l'abondance. Je ne soupçonnais même pas qu'il existait une telle misère dans notre pays, surtout chez les femmes.

L'épisode du verglas

L'épisode du verglas a été au Québec une expérience difficile pour beaucoup de gens. La nuit de janvier 1998 où cette catastrophe a débuté, j'ai été réveillée vers les trois heures du matin. J'étais à même de constater l'ampleur du phénomène. J'habitais un quatrième étage et j'avais une vue imprenable sur les transformateurs d'Hydro-Québec qui éclataient les uns après les autres. Peu à peu, j'ai vu s'éteindre toutes les lumières de la ville. J'étais à la fois terrifiée et en même temps surexcitée par l'événement. Au fur et à mesure que les transformateurs disjonctaient, je faisais le tour des fenêtres et comme je pouvais voir le magasin de chez moi, j'ai assisté à l'explosion du transformateur alimentant le secteur de la succursale. J'ai deviné que la situation serait corsée, mais j'étais loin de me douter à quel point!

Au matin, je suis sortie de chez moi pour me rendre au travail. Lorsque je suis arrivée au magasin j'étais trempée et gelée, comme tout le monde. Sans électricité, pas de chauffage. Pas moyen de se sécher ! Tout le monde a dû s'adapter aux circonstances et se mettre au travail. À cause de l'obscurité, je ne pouvais pas me rendre dans mon bureau. Je suis retournée à l'avant du magasin. C'était très impressionnant, partout où on regardait, il faisait noir comme chez le loup, car même l'éclairage d'urgence avait cessé de fonctionner. Comme tout un chacun, j'ai pensé que ça ne pouvait pas durer bien longtemps.

Certains clients réclamaient des torches électriques, de l'huile à lampe, des piles, des chandelles, des génératrices ; d'autres avaient besoin de couches, de lait pour leur bébé. Munis de lampes de poche, nous allions dans le magasin avec eux, afin d'éviter qu'ils ne se blessent ou ne chapardent. Ensuite nous revenions à la caisse située près de la porte, notre seule source de lumière. Là, à l'aide d'une calculatrice de poche, nous établissions les factures. Nous trouvions cela plutôt amusant au début, mais le temps est arrivé où nous n'avions plus rien à offrir, à cause de la demande pressante pour la marchandise de première nécessité. Nous avons dû prendre la décision de fermer le magasin. Mon devoir me commandait de demeurer sur place au cas où le courant reviendrait, afin d'être en mesure de rappeler les employés.

Je suis demeurée seule dans l'obscurité avec la caissière en chef, encore transie. Il y avait un grand silence dans le magasin, étant donné que rien ne fonctionnait plus. Il faisait tellement noir que je ne voyais pas à deux pieds devant moi. Nous nous sommes alors réfugiées dans la section McDonald et nous avons attendu que le courant revienne. J'avais très froid, et très faim mais je ne pouvais partir. J'ai mangé des chips et bu une boisson gazeuse. Lorsque le courant est revenu, trois ou quatre heures plus tard, j'ai téléphoné à madame Paulette, la gérante du magasin, pour qu'elle revienne car elle était allée se réfugier dans un motel proche où il y avait du courant. J'ai ensuite téléphoné à tous les employés qui étaient requis pour la soirée et je suis partie pour la maison. Je suis donc entrée chez moi, fourbue, transie, car j'avais dû déglacer ma voiture. Il n'y avait toujours pas de courant. J'ai fait contre mauvaise fortune bon cœur.

Le lendemain, le courant était intermittent au magasin. Quelquefois ça s'arrêtait pour des trois, quatre heures, ou alors ça ne durait que quelques minutes. Nous ne savions plus quoi faire avec les employés prévus à l'horaire. Des clients nous demandaient de les laisser entrer pour acheter des victuailles, sauf que nous n'avions presque plus de denrées. C'est alors que le gérant de la réception des marchandises est venu me voir, pour me dire que madame Paulette lui avait demandé de faire vider une remorque se trouvant dans le stationnement. Il disait que c'était impossible car il y avait de trop grands risques d'accident. Je me suis rendue sur les lieux pour constater qu'on voyait à peine devant soi. J'ai alors fait part à la gérante de la situation. Je lui ai dit que c'était trop dangereux pour les employés, qui risquaient de se blesser. À ma grande surprise, elle s'est emportée rapidement en me disant qu'elle s'en fichait éperdument, qu'il fallait vendre coûte que coûte car c'était elle qui répondrait des ventes, le lendemain, à la haute direction. «*Think profit, think always profit...*» Si les objectifs de la compagnie n'étaient pas atteints, c'est elle qui se ferait engueuler. J'ai tenté de lui suggérer que les dirigeants de Toronto comprendraient sans doute, puisqu'ils établissaient la politique sur la sécurité en milieu de travail. Ils ne lésinaient pas avec cela, car chaque employé placé en CSST coûtait trois fois son salaire à la compagnie. J'ai ajouté que les employés ne videraient pas la remorque et que s'il fallait plus tard donner des explications aux gros bonnets de Toronto, j'en prendrais l'entière responsabilité. En fulminant, elle m'a tourné le dos et s'est éloignée rapidement.

Il a fallu, une nouvelle fois, demander aux employés de retourner chez eux, leur dire qu'ils seraient rappelés dès que l'électricité reviendrait. Certains étaient très contrariés, surtout ceux qui demeuraient à plusieurs kilomètres du magasin. Certains venaient d'aussi loin que vingt, trente, quarante kilomètres... La situation était assez difficile, tout le monde rechignait, certains employés se plaignaient de n'avoir rien mangé car, privés d'électricité, ils n'avaient pu déjeuner. Ils avaient donc demandé à madame Paulette l'autorisation de manger un muffin chez McDonald avant de partir. Non ! fut sa seule réponse.

L'agressivité était à son paroxysme. Les employés avaient froid, ils étaient trempés, certains d'entre eux avaient faim. Ce qui avivait surtout leur colère était le fait que la gérante du magasin passait ses nuits au motel d'à côté et mangeait tout ce qu'elle voulait en se moquant éperdument de leurs problèmes. D'où tenaient-ils ce renseignement ? Je vous le donne en mille ! C'était bibi… Durant cette dure période, j'ai été témoin d'une situation encore plus déplorable. Une des employées, à qui il était formellement interdit d'accorder quelque avance de salaire en raison de sa dépendance aux machines à sous du Casino, s'était vu octroyer par madame Paulette une avance de 300 dollars sous prétexte que n'ayant pas d'électricité chez elle, elle devait prendre ses repas au restaurant. Or, fait étrange, au même moment, deux sœurs, qui travaillaient à New York tout en habitant à vingt-cinq kilomètres, se sont vu refuser par la même gérante une avance de 40 dollars. J'avançai l'argent de ma propre poche, car je jugeais qu'il était inconcevable de les laisser partir sans s'assurer qu'elles auraient quelque chose à manger. Mais il faut dire aussi que l'employée à qui on avait remis une avance de salaire de 300 dollars battait des records d'empressement afin de satisfaire les gros bonnets de la direction.

L'esprit de Walton : le respect de l'individu

Finalement, après quatre jours de cette situation intenable, madame Paulette me fit venir dans un des bureaux à l'arrière afin que l'on s'explique. Elle se rendait compte qu'elle s'aliénait la confiance du personnel et ne voulait pas perdre la face. À ce moment, les employés ne s'adressaient plus d'abord à madame Paulette mais directement à moi. Elle me dit qu'elle savait que je la traitais de *twit* (simple d'esprit), ce que je n'ai pas nié, ajoutant que c'était un terme qui me venait spontanément quand je pensais à elle. Moi aussi j'étais épuisée. Ça faisait maintenant quatre jours que j'étais trempée, quatre jours que j'étais gelée et quatre jours que je servais de tampon au mécontentement des employés. J'ai donc essayé de lui faire comprendre que, très anxieuse et très nerveuse, j'aurais pu espérer plus de compassion de sa part. Voyant que ça ne donnait rien, j'ai pris bien soin de mettre la situation au clair, en spécifiant qu'entre elle et moi ça marchait de plus en plus difficilement. J'ai ajouté que, dorénavant, nous devrions nous contenter de travailler ensemble sans faire semblant de socialiser. La réunion avait duré assez longtemps et j'en ressortais la tête haute. J'étais fière de moi, je ne m'étais surtout pas laissée impressionner.

Seulement, j'étais consciente que je venais de fournir une nouvelle arme à mes adversaires. Au point où j'en étais, une arme de plus ou une de moins, j'avais arrêté de les compter depuis un bon moment... J'étais constamment placée entre l'arbre et l'écorce, j'étais un amortisseur de chocs entre la direction et le personnel. Jamais personne ne se souciait de moi. Je travaillais toujours selon les principes de respect de l'individu que monsieur Walton, le fondateur, avait mis en pratique toute sa vie. Il n'en allait certes pas de même avec tout le monde! Je crois sincèrement que lorsque des politiques et des règlements existent, et qu'on se trouve en accord avec leur esprit, on doit faire constamment tout en notre pouvoir pour les respecter. C'est pourquoi je me trouvais être la cible de la direction car, à chaque instant, je rappelais l'engagement contracté...

J'avais identifié les traîtres, en prenant soin de les distinguer des personnes honnêtes. Je savais de qui je devais me méfier. Je soupçonnais l'employée qui me remplaçait les fins de semaines, en ce qui avait trait au système de rétribution. La suite des événements montra que j'avais vu juste. En janvier 1998, un employé me téléphona, pour me dire qu'il ne pouvait venir travailler ce mercredi-là, car son camion était en panne. Le lundi suivant, comme à mon habitude, je vérifiais toutes les entrées qui avaient été faites par ma remplaçante durant la fin de semaine. J'ai eu la surprise de constater que cet employé avait été ajouté au bulletin de paie le mercredi, alors que je savais de certitude qu'il ne s'était pas présenté au travail ce jour-là. Il était facile de vérifier l'origine de l'erreur puisque chaque fois qu'une personne entrait dans le système de paye de la compagnie, son nom s'imprimait sous les corrections enregistrées. Je me suis empressée d'aller voir ma remplaçante, pour lui faire part de ma découverte et lui demander des éclaircissements. Cette dernière me dit que c'était monsieur Yves qui lui avait demandé faire cela. Ayant appelé cet employé pour qu'il rentre travailler le samedi, il ne pouvait pourtant pas le faire poinçonner ce jour-là, car il aurait alors dû le payer en temps supplémentaire le vendredi suivant. Et chez Wal-Mart, le temps supplémentaire était complètement prohibé.

Il avait donc travaillé toute la journée du samedi sans avoir poinçonné, ce qui était illégal. D'abord, s'il avait eu un accident de travail, il n'aurait pas été assuré par la CSST, car il ne s'était pas enregistré comme travailleur. Ensuite, pour le ministère du Revenu, cela faussait les données du système de paye. J'aurais pu être tenue responsable si Revenu Canada ou Revenu Québec avait demandé des comptes. Il ne faisait aucun doute que la direction n'aurait rien fait pour me protéger.

Je suis donc allée voir monsieur Yves afin de lui expliquer dans quelle position je me trouvais, et lui dire que je n'étais pas d'accord avec sa manière d'agir. Il avait l'air de s'en balancer complètement. Il m'a tourné le dos sans dire un mot et il est reparti comme si de rien n'était. Monsieur Yves se croyait à l'abri car madame Paulette, la gérante du magasin, approuvait tous ses agissements. Mais, comme il était de mon devoir de dénoncer un tel manque d'intégrité, je suis allée voir madame Paulette pour la mettre au courant de la situation. J'estimais, que si je ne l'avais pas fait, j'aurais pu avoir droit à un *coaching* puisqu'il était interdit de cacher quoi que ce soit de grave à la gérante du magasin. J'ai cru bien agir, mais j'ai vite compris non seulement qu'elle semblait au courant, mais que c'est elle qui tirait les ficelles. Je lui ai fait remarquer que je ne pouvais pas laisser dans l'ombre une telle chose, car c'est moi qui étais responsable de ces entrées, et que je pouvais être congédiée si je ne faisais rien. J'ai ajouté que je devrais téléphoner à Toronto, ce qui n'a pas semblé la déranger.

La « porte ouverte » (Encore la fameuse DPO)

Il était bien précisé dans ma définition de tâches que, si je m'apercevais que quelqu'un avait commis une illégalité, je devais immédiatement en informer la direction. Sans tarder, j'ai donc téléphoné à monsieur John, un cadre de Toronto. Je lui ai relaté toute l'histoire. Ce faisant, je recourais pour la première fois à la Directive de la Porte Ouverte. Quelle erreur ! Mais je n'allais l'apprendre que plus tard. Monsieur John a confirmé que l'affaire constituait en effet une très grave infraction, puis il m'a assurée de son appui. Il m'a ensuite demandé si j'avais des preuves. Je lui ai répondu par l'affirmative, en soulignant que j'avais devant moi la feuille de la pointeuse illégalement enregistrée pour ce samedi-là. Il m'a alors affirmé qu'il devait absolument voir cette feuille. Je lui ai rétorqué que j'avais peur de subir des représailles s'il venait au magasin. Je préférais le rencontrer à l'extérieur de la succursale. C'est ce qui était prévu par la Directive de la Porte Ouverte, afin que les employés qui s'en étaient prévalu n'aient pas à subir la hargne de la direction de leur succursale. La Directive de la Porte Ouverte était réputée garantir une protection à toute épreuve si jamais nous déclarions une fraude.

Monsieur John m'a alors dit qu'il me téléphonerait au courant de la semaine suivante pour me dire quand il se rendrait à New York. Nous déciderions alors du lieu de rencontre. Le lundi suivant, il m'a téléphoné pour m'annoncer qu'il arriverait le lendemain. Je devais apporter avec moi la feuille de la pointeuse. Nous nous sommes donné rendez-vous le lendemain, à midi, dans un restaurant de New York. Pour ne pas l'oublier, je suis tout de suite allée mettre la feuille en sécurité dans le coffre à gants (verrouillé) de mon auto. Je voulais être fin prête pour le lendemain.

J'étais assez nerveuse et anxieuse le lendemain, mais j'avais confiance dans cet homme. J'avais régulièrement eu à régler de petites choses avec lui et tout s'était toujours bien passé. Vers neuf heures trente, je l'ai vu entrer dans le magasin. Je me rappelle très bien, car j'étais au McDonald pour prendre ma pause. Mon cœur s'est arrêté de battre, je ne comprenais pas ce qu'il faisait à l'intérieur de la succursale puisque personne n'était censé savoir qu'il serait à New York. Je suis immédiatement allée le voir, avec sans doute des points d'interrogation dans les yeux. Il a dit que nous devions aller discuter dans mon bureau. Il a alors demandé à voir la feuille de la pointeuse. Je lui ai répondu qu'elle se trouvait dans ma voiture et que je devais aller la chercher.

À mon retour dans mon bureau, il m'a demandé de fermer la porte. Nous étions seuls, tous les deux, sans témoins. Je ne savais pas encore qu'on m'avait tendu un piège. Il a regardé la feuille, et il a exprimé une grande contrariété. C'est alors qu'il a levé les yeux sur moi et m'a dit ces mots : « Tu n'es pas sans savoir, Suzanne, que tu ne dois en aucun cas sortir du magasin des documents qui appartiennent à Wal-Mart. C'est interdit par la politique et tu pourrais recevoir une sanction pour cela ». Je lui ai alors rappelé que je sortais des documents du magasin tous les jours, car c'était moi qui étais chargée d'aller faire des photocopies pour le magasin. Étant donné que nous n'avions pas de photocopieur, je n'avais pas le moyen de faire autrement. Il se devait donc d'informer madame Paulette que dorénavant, je ne pourrais plus effectuer ce travail sans enfreindre la politique de Wal-Mart. Je lui ai dit que j'avais sorti le document en question sur sa recommandation expresse et lui ai rappelé que nous avions pris rendez-vous au resto pour midi ce jour-là. Il a complètement ignoré mon intervention.

Pas besoin de vous dire que je n'y comprenais rien : une des personnes en qui j'avais le plus confiance chez Wal-Mart me trahissait impudemment, sans même baisser les yeux... J'étais désemparée car je venais de prendre conscience que j'étais prise au piège. Je ne comprenais pas pourquoi il agissait de la sorte. Il tenait entre les mains la preuve que ma remplaçante avait fait une fausse entrée au système de paye et il me blâmait pour avoir sorti un document ! Je fus ébahie quand il affirma que, quelquefois, il fallait faire des concessions, qu'il ne fallait pas toujours dénoncer les abus. Il cherchait à me faire comprendre que je devrais être plus flexible.

Le piège se refermait inexorablement sur moi. J'avais la gorge sèche, de la difficulté à respirer. Je tremblais devant mon impuissance à régler ce dilemme. Par-dessus tout je savais que j'avais été trahie. Mais qu'avais-je donc fait pour mériter un tel sort ? Je m'efforçais de toujours marcher sur le droit chemin et voilà qu'on me le reprochait. Sur quelle galère m'étais-je embarquée en faisant confiance à de tels individus ?

J'ai compris qu'il valait mieux me taire. Mais si mes lèvres ne bougeaient pas, mon attitude était éloquence, et je suis certaine que cet homme a compris que je ne lâcherais pas prise facilement. Je n'avais pas le choix. C'était moi qu'on mettait en accusation. J'avais fait mon travail selon les règlements et les politiques de la compagnie et c'était une personne de Toronto, de surcroît un cadre, qui me disait que parfois, il valait mieux tricher. Consternant! J'aurais dû informer la sécurité mais j'étais tellement dépassée par les événements que ça ne m'est même pas venu à l'esprit. Ce jour-là, j'en avais pris pour mon rhume, mais je ne savais pas encore à quel point certains dirigeants pouvaient être retors. La DPO venait de faire son œuvre, je devenais sa victime.

4

La désillusion

La débâcle

À partir de ce moment, je n'avais plus grand-chose à perdre. Je me suis mise à ruer dans les brancards. Je ne laissais plus rien passer, j'espionnais tout le monde. J'essayais de trouver le moyen de me protéger et, à la guerre comme à la guerre, je savais que je devrais me défendre bec et ongles.

Depuis que j'étais à l'emploi de Wal-Mart, j'avais toujours fait plus que mon travail. Comme tout le personnel était débordé, j'avais mis moi aussi la main à la pâte en acceptant d'accomplir un surcroît de tâches. Dans mon esprit, c'était normal. Chez Wal-Mart, tout le monde se démenait, sauf que pour moi le cœur n'y était plus. J'ai dû me rendre à plusieurs reprises chez mon médecin et j'ai commencé à prendre des calmants, des somnifères afin de pouvoir dormir. Puis je suis tombée malade, très malade.

En février 1998, lors d'un examen de routine, mon médecin s'est dit très inquiet à cause de la mesure, beaucoup trop élevée, de ma tension artérielle. J'ai pris panique car mon mari est décédé des suites d'une hypertension artérielle. Il est mort d'un infarctus. J'étais déroutée. Ma tension avait toujours été dans la norme, et voilà que maintenant son contrôle requérait des médicaments. J'étais réticente, mais mon médecin me fit comprendre qu'il était important que je prenne sur une base régulière ces médicaments. J'ai alors réalisé que, sans doute, je devrais avaler ces satanées pilules pour le reste de ma vie. Je n'étais pas une «bonne candidate» à l'hypertension: personne dans ma famille n'en souffrait. J'ai compris que la cause était le stress que je subissais jour après jour au travail. Mon médecin m'a signé un congé de maladie de deux semaines, pour me permettre de me reposer et d'évaluer la situation.

Je savais ce que la direction pensait des employés qui prenaient un congé de maladie. Durant la période de temps où j'ai été à l'emploi de Wal-Mart, plusieurs des employés ont perdu leur travail après avoir dû prendre un congé de maladie. Monsieur Yves me disait souvent que la compagnie n'appréciait pas les employés qui étaient malades. À de nombreuses reprises, j'ai été témoin de manœuvres visant à décourager un employé jusqu'à ce que, de sa propre initiative, il quitte la compagnie. Et que dire de ceux qui se blessaient au travail?

La maladie

J'étais trop malade pour bien évaluer ma situation. Je me suis donc rendue à la succursale afin de remettre à madame Paulette le billet que mon médecin avait établi. Pour la première fois, cette dernière a paru ébranlée. Je le vis dans son regard. Je crois que si elle avait eu des fusils à la place des yeux je serais morte sur-le-champ. Sur le coup, ça m'a fait sourire. Puis je suis partie.

Lorsque je suis sortie du magasin, j'ai ressenti comme une délivrance. J'étais comme une prisonnière à qui on avait accordé une libération conditionnelle; mais la perspective de revenir deux semaines plus tard m'était très pénible. Cette quinzaine a été pour moi un calvaire. J'avais désormais tout mon temps pour réfléchir. Le compte à rebours des heures qui me séparaient de mon retour, je l'égrenais avec appréhension.

Quand je me suis présentée à mon poste, madame Paulette a exigé que je lui remette un papier signé du médecin, attestant que j'étais apte à travailler. Elle croyait ainsi retarder mon retour, car il faut normalement deux semaines pour obtenir un rendez-vous chez le médecin. Mais comme mon médecin et moi entretenions une relation amicale, j'ai eu mon rendez-vous tout de suite. Dans l'heure qui a suivi, j'étais devant la gérante du magasin avec mon trophée. Encore une fois, j'ai perçu de la contrariété dans son regard.

Je suis retournée au travail comme si de rien n'était. Mais en réalité, j'étais toujours aux aguets, je surveillais constamment mes arrières. Le stress et l'inquiétude m'ont rendue malade à nouveau. J'avais la diarrhée, je vomissais, j'étais incapable de manger. J'ai dû prendre à nouveau un congé de maladie. Cette fois, pour trois mois. Je venais de faire un *burn out* et mon médecin m'a dit que c'était sérieux. Je ne suis pas certaine que l'on peut se remettre complètement d'un *burn out*. Je crois qu'il en reste toujours un petit quelque chose en dedans. Je sais cependant qu'à partir de cet instant je n'ai plus jamais été la même personne. Durant ce long congé j'ai pris du mieux. Je m'étais inscrite à un gymnase près de chez moi, j'y allais trois fois par semaine. Je mangeais mieux, je recommençai petit à petit à prendre du poil de la bête, à faire des projets. Ma tension artérielle commençait à baisser. Mais le dernier mois de congé, sans savoir pourquoi, j'ai perdu soudainement l'envie de m'entraîner. J'ai cessé d'aller au gym, je recommençais à moins bien manger, mon anxiété reprenait le dessus sans que je sache pourquoi. Ça aurait si facile pour moi de tout quitter, je n'avais pas besoin de ce job… Je ne sais pas au juste… sans doute mon orgueil avait-il été piqué au vif! Et puis, toute à la griserie de mon combat, j'en étais presque venue à perdre de vue la raison pour laquelle je me démenais à ce point…

Aujourd'hui, je comprends que mon corps me parlait, mais je ne l'écoutais pas. Il me disait que je ne devais pas retourner dans ce magasin car je n'avais plus la force de me taper tout le travail, sans rien dire du harcèlement que me faisaient subir constamment madame Paulette et monsieur Yves. Mais j'ai fait la sourde oreille et je suis retournée en enfer. Je me souviens de ma première journée. J'avais peur d'entrer dans le magasin. Je tremblais, j'avais de la difficulté à respirer mais encore une fois, je me disais que je n'étais pas une perdante mais bien une gagnante: je fis taire la petite voix à l'intérieur qui me disait «Attention!.... Ils vont t'achever».

À mon retour, j'ai été accueillie très froidement par la direction. En revanche, quand j'ai constaté à quel point les employés étaient heureux de me revoir, j'ai retrouvé une partie de mon énergie. Durant mon absence, ils avaient réalisé ce que je faisais pour eux. On me l'a exprimé avec beaucoup d'émotion, ça me faisait du bien de savoir que j'étais estimée. Tous sont venus me voir pour me dire à quel point je leur avais manqué, car depuis mon départ, ils avaient l'impression de trimer dans un bagne. Ils avaient goûté à la médecine de ma remplaçante et mesuraient à quel point j'avais à cœur leur bien-être. Nul besoin de dire que ce fut le meilleur des remontants pour moi. Je me dis que, dorénavant, ça valait la peine de me battre pour eux. J'avais une nouvelle mission. En ce sens, pendant toutes les années où j'ai été gérante du personnel chez Wal-Mart, je recevais tous les jours, comme des bouffées d'air frais, les propos pleins de gratitude des employés. Je n'avais qu'à exprimer un vœu et quelqu'un s'empressait de l'exaucer. C'est cela qui m'a fait tenir si longtemps. Je recevais une compensation morale que personne à la direction ne se méritait — bien au contraire! Je crois aussi que c'est cela qui m'a mise dans le pétrin.

Les employés, qui eux aussi en avaient ras le bol de la malveillance de la direction à leur égard, commençaient petit à petit à se rebeller. À telle enseigne que certains ne se gênaient plus pour me dire qu'ils étaient partisans de la syndicalisation de Wal-Mart. Ils croyaient que c'était le seul moyen d'être respectés par cette compagnie. J'étais d'accord avec eux, mais je savais aussi que beaucoup d'eau devrait couler sous les ponts avant que ça ne se réalise. Pourtant, je savais que ça finirait par arriver, car lorsque vous êtes témoin de mesquineries et d'injustices subies par des êtres humains, vient un temps où il n'y a plus place pour les tergiversations, vient un temps où tout être intelligent se doit d'admettre qu'il a besoin de la solidarité d'un groupe pour se faire respecter. Et je souhaitais de tout mon cœur que ça arrive, car c'aurait été pour eux l'idéal. Je me mis donc à fermer les yeux sur le militantisme en faveur du syndicat, dans l'espoir qu'un miracle se produirait.

Syndicalisation

Un matin, en rentrant au travail, j'ai senti que quelque chose de grave se passait. Le magasin de

Windsor venait de recevoir son accréditation syndicale ! Vous auriez dû voir les membres de la direction... On aurait dit des poules aux têtes coupées, tout le monde courait de gauche à droite. Le fax ne dérougissait pas, nous recevions continuellement des télécopies en provenance du bureau de Toronto. C'était la panique générale. Lors de la réunion du matin, monsieur Yves nous a fait part de la nouvelle sur un ton solennel. Il était blanc comme neige. Les autres étaient rouges comme des pivoines. Les yeux des employés pétillaient : enfin, un peu d'espoir !

On nous a dit que la direction ne pouvait pas commenter ce qui arrivait à Windsor, mais qu'on nous tiendrait au courant de la situation. Les médias couvraient l'événement, la direction n'avait pas le choix de nous dire quelques mots à ce sujet. De toute façon, nous écoutions tous les bulletins de nouvelles le soir à la maison. Monsieur Yves — malgré l'interdiction venant de la compagnie de tenir des propos contre le syndicat, pour ne pas donner l'impression de manipuler les employés — n'a pu s'empêcher de nous dire que si on se syndiquait, ça coûterait de l'argent car nous devrions alors payer nos cotisations à même nos payes. Au bout du compte, notre revenu serait diminué. La notion d'*associé* et surtout de participation aux profits serait annulée sur-le-champ.

Il s'était bien gardé de mentionner que la syndicalisation entraînerait une augmentation du taux horaire, une amélioration notoire des conditions de travail, et que Wal-Mart embaucherait davantage d'employés puisque les tâches seraient plus équitablement réparties. Il omettait aussi de dire que les gérants de rayon n'auraient plus à s'occuper de trois départements, en plus de se présenter sur appel aux caisses avant. On n'aurait plus à faire des lots de changements de prix, chose très fastidieuse, compte tenu du peu de temps alloué pour cette tâche.

Finies les pauses perdues parce que la direction oblige les employés à travailler dans d'autres départements, ce qui ne laisse tout simplement pas le temps de souffler. Finies les promotions truquées données aux lèche-bottes. Finie la discrimination envers les femmes enceintes. Fini pour les caissières de subir l'inconduite de monsieur Yves, lorsque ce dernier perdait tout contrôle et intimidait une employée sans que celle-ci ne puisse porter plainte, de peur de perdre son emploi.

Encore monsieur Yves

Je me disais que madame Paulette devrait quitter le magasin un jour ou l'autre. Le chiffre d'affaires de notre succursale était si bas qu'aucun gérant n'aurait voulu travailler à New York, où il n'avait aucune chance d'obtenir une part des profits.

Je me suis laissé dire — était-ce encore un leurre? — que le gérant d'une succursale très profitable pouvait toucher une participation aux profits de 200 000 dollars par année tant les ventes étaient bonnes. Notre succursale était si peu rentable que les gros bonnets de Toronto avaient décidé de faire du magasin un terrain d'apprentissage pour les nouveaux gérants, avant de les envoyer gérer un autre magasin. Après avoir touché le fond du tonneau, ils seraient prêts à aller travailler n'importe où! Ce n'était donc qu'une question de temps et, une fois madame Paulette partie, monsieur Yves aurait été viré de Wal-Mart.

C'est ce qui a fini par arriver mais je n'étais plus là pour en profiter. Certains employés avec lesquels je suis demeurée en contact sont venus un jour chez moi pour me dire que monsieur Yves avait remis sa démission pour cause de maladie. Il avait raconté aux employés qu'il souffrait d'une maladie grave et qu'il ne passerait pas Noël. Je me suis permis d'en douter car je présumais que c'était encore un mensonge. En fait, il n'avait pas eu le courage d'avouer que la compagnie en avait eu assez de lui et lui avait tout simplement montré la porte. Quatre ans plus tard, monsieur Yves est toujours en vie.

Une visite de l'oncle

Tout était parfaitement bien dissimulé chez Wal-Mart. Un soir, comme je partais du bureau pour rentrer chez moi, le corridor menant à la sortie était tellement encombré que j'ai déchiré mon chemisier en essayant de me faufiler. Or, à mon retour le lendemain matin vers sept heures, j'ai eu la surprise de constater que ce même corridor était totalement dégagé, ce qui ne s'était jamais vu. J'ai demandé si notre succursale était en faillite. Mais non, de me répondre un employé présent, nous attendons de la grande visite des États-Unis. Un groupe de contrôle, que pilotait un des gros bonnets américains.

La délégation en tournée d'inspection était censée arriver par surprise pour constater l'état réel des lieux. Mais ce que ses membres ignoraient, c'est que dès qu'ils quittaient un magasin, quelqu'un s'empressait de téléphoner à tous les magasins des environs pour les avertir. La délégation s'étant rendue visiter la succursale de la région, la veille, vers la fin de la journée, quelqu'un s'était hâté de prévenir par téléphone les magasins des environs, dont celui de New York. Nous avions donc eu toute la nuit pour remédier à la situation. Mais je me demandais où était passée la marchandise, si abondante la veille. Elle ne s'était pourtant pas volatilisée ! J'ai demandé ce qu'on en avait fait. Mon rapporteur préféré s'est fait un plaisir d'éclaircir le mystère en me faisant visiter deux remorques stationnées près de l'entrepôt. Tout était là.

La grande visite est arrivée, tout s'est bien passé, le gros bonnet des États-Unis était bien content de voir le magasin aussi propre. Il s'en est retourné, satisfait, tout en félicitant la direction. Celle-ci a répondu que tout était mis en œuvre pour faire respecter les politiques de Wal-Mart. Je n'en revenais pas, quelle duperie ! En plus, durant cette visite, un des chauffeurs de la compagnie de transport Robert s'était présenté, tel que prévu, pour récupérer une des remorques qu'il croyait vide. On lui avait alors dit qu'il ne pouvait repartir avec, car les deux remorques étaient pleines de marchandises. Mais le conducteur avait quand même facturé le transport. Au total nous avions donc payé deux fois pour le transport de la même remorque, à l'intention de tromper la haute direction américaine.

Or la direction locale avait déjà congédié une employée, parce qu'après avoir pointé à la fin de son repas, elle était retournée dans la salle de repos pour donner des consignes à une de ses subordonnées ! Elle avait été accusée de vol de temps ! On peut se demander comment on pourrait qualifier le geste de la direction qui, en plus de s'être moquée d'un haut dirigeant, a consciemment caché de la marchandise et fait payer à la compagnie un transport qui n'a jamais existé…

Tentative d'intimidation

À la lumière de ces quelques expériences, il m'a semblé que, chez Wal-Mart, plus vous étiez malhonnête, plus vous aviez de l'avancement. Ainsi, lorsqu'un employé rattaché à la sécurité est venu nous rendre visite — il venait au moins une fois par mois — je lui ai fait part de notre mésaventure de la tournée d'inspection. Il m'a semblé intéressé à discuter de l'affaire. Comme nous étions vers la fin de la journée, il m'a invitée à souper au restaurant Mikes de New York. Durant la conversation, nous sommes revenus sur le cas de monsieur François, car tout le monde chez Wal-Mart connaissait mon opinion sur cette affaire. Agissant en éclaireur, il m'avait dit que l'affaire en question était terminée, et m'avait conseillé d'oublier l'incident monsieur François, car cette histoire ne pourrait que me rendre plus malheureuse encore. Je le voyais venir avec sa feinte sollicitude, il essayait de me leurrer. Je savais qu'il était conscient que mon témoignage nuirait beaucoup à la compagnie et il voulait m'en dissuader. Je lui dis qu'il était trop tard pour oublier, et qu'on n'efface pas de sa mémoire une vilenie de ce genre.

Pas plus tard que la semaine précédente, j'avais rencontré l'avocat de la Commission des droits de la personne à Montréal, pour discuter de mon témoignage en faveur de monsieur François. L'avocat voulait s'assurer que je ne fabulais pas. Pendant au moins trois bonnes heures, il m'avait répété toutes les questions, des dizaines de fois. Il en était venu à la conclusion que la cause était défendable. J'en ai fait part à l'employé de la sécurité. Il a sursauté. Il était très surpris, je crois que personne n'aurait pensé que j'irais témoigner au procès. L'employé de la sécurité a dû réaliser à ce moment que la compagnie était dans de beaux draps si je comparaissais à la barre des témoins.

Quelques mois s'étant écoulés depuis le congédiement, les gros messieurs de la sécurité avaient eu le temps de s'interroger. Et comme ils étaient quand même assez bien formés pour leur travail, ils n'ont peut-être pas mis beaucoup de temps pour conclure que, dans cette cause, deux plus deux faisaient quatre et non pas trois ou cinq, comme d'aucuns avaient essayé de le leur faire croire...

Face à la réalité: il est trop tard

Il y a beaucoup de satisfaction à être intègre, même si c'est parfois très difficile. Au fil des ans, j'ai pu remarquer que la plupart des gens qui se prétendent honnêtes n'aiment pas beaucoup se faire dire la vérité. On m'a souvent reproché ma franchise mais, au moins, les gens savent à quoi s'en tenir sur mon compte. L'employé de la sécurité m'a alors mise en garde contre monsieur Yves et madame Paulette, car lui aussi avait des doutes sur leurs agissements. Mais il m'a clairement fait comprendre, que son rôle consistait à arrêter les petits voleurs, pas les gros... Il m'a demandé s'il pouvait mentionner mon nom dans son rapport au sujet de la remorque. Je savais qu'il le ferait, de toute façon. Alors à quoi bon me le demander? En dépit ce cela, je crois qu'il était sincère. Mais lorsque vous êtes pris dans l'engrenage de Wal-Mart, il est quasi impossible de ne pas se faire broyer. On fait tout pour vous démolir si vous avez le malheur de parler un peu ouvertement des supercheries qui s'y donnent libre cours.

Je sais quels procédés répugnants on utilise chez Wal-Mart pour conditionner les gens. J'estime avoir le droit — ou plutôt le devoir —, d'en témoigner. Leurs techniques s'apparentent à celles du lavage de cerveau. Peu à peu votre personnalité même s'efface, votre volonté s'étiole. Au fil des jours, vous devenez une espèce de robot, programmé par des consignes. À l'heure où j'écris ceci, je garde encore la cicatrice de cette odieuse manipulation, comme une blessure permanente de mon être tout entier. Je ne trouve pas de termes assez vifs pour condamner une telle attitude, pas de mots assez forts pour flétrir tant d'hypocrisie. Ils vous pressent comme des citrons, puis vous jettent aux ordures, sans plus de souci des personnes.

Le témoignage

Le gérant du magasin, monsieur Alain avait été transféré peu de temps après l'incident impliquant monsieur François. Je pense que les grands manitous croyaient que si monsieur Alain et moi n'avions plus à travailler ensemble, je ne penserais probablement plus aux récriminations que j'avais pu formuler. C'était mal me connaître. Jamais je n'oublierai cette journée infernale du 13 décembre 1996.

J'ai revu monsieur Alain en cour en 2002, il m'a alors expliqué que la compagnie lui aurait offert 100 000 dollars pour se retirer. Il semblait un peu découragé, mais j'ai mis cela sur le compte du stress d'avoir à témoigner. Je crois aussi qu'il ne s'attendait pas du tout à me voir sur les lieux.

Ça a fait l'effet d'une petite bombe. J'ai été questionnée durant tout l'avant-midi par l'avocat de la Commission des droits de la personne ; tout l'après-midi, j'ai été contre-interrogée par les avocats Wal-Mart. Je ne me suis pas fourvoyée une seule fois mais, à la fin, j'étais épuisée. Les émotions s'entrechoquaient dans mon cerveau, j'étais fière d'être là, j'avais honoré mon engagement envers monsieur François et surtout, je ne m'étais pas laissée impressionner par les avocats de Wal-Mart.

L'abandon

Revenons en 1999, le sort qu'on me réservait était de plus en plus clair. Je savais que madame Paulette et monsieur Yves ne souhaitaient plus qu'une chose : me voir partir. Mais j'avais la tête dure, à un point qu'ils étaient incapables de concevoir.

Mon médecin n'arrivait plus à contrôler mon hypertension. Il avait beau me mettre en garde, je ne voulais rien entendre. Comme il savait que je n'avais pas besoin de ce travail, il ne comprenait pas pourquoi je m'entêtais à continuer de bosser chez Wal-Mart. Par ailleurs, il m'a dit que lui et ses confrères médecins étaient étonnés du nombre de cas de dépression dans la même entreprise.

Mais n'écoutant que mon courage, j'ai continué la lutte. Les forces en présence étaient inégales. Contre moi, j'avais madame Paulette, monsieur Yves et plusieurs personnes de la haute direction de Toronto. Parfois, quand je repense à cette période, je souris à l'idée du temps qu'ils ont dû dépenser en réunions, afin de trouver un moyen de se débarrasser de moi. Je les dérangeais tellement qu'ils ont fini par trouver.

Le *frame-up*

Un après-midi, monsieur Yves est venu dans mon bureau sous prétexte de jaser comme il le faisait souvent. Il venait vérifier si je n'avais pas découvert autre chose susceptible de leur nuire. Il désirait me confier un secret que je ne devrais répéter à personne. Il m'a dit alors: «Sais-tu ce qu'on faisait chez mon ex-employeur lorsqu'on voulait vraiment se débarrasser d'un employé? À son insu, on plaçait de la marchandise dans son sac à main ou les poches de son manteau et on attendait qu'il sorte le soir après son quart de travail. On le fouillait, on trouvait la marchandise, on l'accusait de vol puis on le congédiait». J'ai compris le message. Je savais que c'était de l'intimidation…

Indépendance

Je jouissais de mon indépendance financière. Je pouvais me permettre de donner mon opinion et de m'opposer aux mauvais traitements qu'on faisait subir aux employés. N'ayant pas besoin de mon maigre salaire pour vivre, je jouissais de la liberté de parole. Toutefois, la réputation n'a pas de prix. J'avais travaillé très fort depuis au moins trente ans pour mériter ma place au soleil, je n'admettais pas qu'un minable me ravale dans l'ordure. Ce que je lui ai fait savoir. J'ai ajouté que dorénavant, je serais perpétuellement sur le qui-vive.

Ainsi, à la fin de chaque journée, avant de quitter mon bureau, je vérifiais le contenu de mon sac, à la recherche d'un objet suspect. Je retournais toutes les poches de mes vêtements, je prenais mon trousseau de clefs que j'avais pris le soin de cacher à mon arrivée — afin que personne ne puisse aller dans mon auto pour y dissimuler quelque objet appartenant à la compagnie ! Et ce n'est qu'après avoir fait toutes ces vérifications que je partais. Imaginez un peu le stress de la situation ! Mais, là encore, je m'accrochais. J'avais inscrit à un tableau dans mon bureau la maxime : « N'abandonne surtout pas » et à chaque fois que la tentation me venait de jeter la serviette, je me faisais un devoir de la relire.

Aujourd'hui, je sais qu'il faut parfois abandonner et j'ai mis cette maxime au rebut. Je comprends maintenant qu'il faut parfois lâcher prise, ne serait-ce que pour conserver sa bonne condition physique et mentale, mais il est un peu tard. J'ai commencé à douter de mes compétences sans trop m'en apercevoir.

Une fois, madame Paulette et monsieur Yves sont entrés dans mon bureau, puis ont fermé la porte. Je me suis dit que ça allait être ma fête. J'étais certaine qu'on me congédierait à la fin de cette rencontre. Mais non, ils étaient tout sucre et tout miel, avec un regard compréhensif. Ils ont dit qu'ils voulaient m'aider. Il y avait anguille sous roche. Madame Paulette m'a demandé si j'étais tombée amoureuse de monsieur Alain, l'ancien gérant, si j'avais déjà eu des relations sexuelles avec lui. J'ai alors fait comprendre à madame Paulette que depuis la mort de mon mari, je ne m'étais intéressée à aucun homme et que monsieur Alain n'était pas du tout mon genre. J'ai ajouté que je n'approuvais pas en général les gens qui dictent aux autres leur conduite sans appliquer ce qu'ils prêchent. J'ai rappelé à madame Paulette, avec un regard en coulisse vers monsieur Yves, que bien que la politique de Wal-Mart interdise tout rapport entre la direction et les employés, et qu'il soit formellement interdit de boire de l'alcool en compagnie d'employés, il y avait eu une sortie arrosée au restaurant d'une ville voisine quelques mois auparavant, où monsieur Alain, en présence de plusieurs employés, avait tellement bu d'alcool qu'il avait commencé à lancer des godets de crème à travers le restaurant, en incitant les employés à faire comme lui. Pour moi les règlements sont faits pour être respectés et monsieur Alain avait dépassé les bornes. Elle m'a alors dit que tout le monde avait le droit de faire des erreurs. Voyant que la conversation ne menait nulle part, ils ont lâché prise et son repartis sans un mot. Encore une fois, j'avais réussi à conserver ma dignité. J'étais tellement habituée aux tempêtes que je n'y ai pas porté attention à cette nouvelle menace. Fatale erreur de ma part!....

J'étais épuisée, car je revenais d'un long congé de maladie. Et je sais aujourd'hui qu'ils ont profité de cette circonstance pour frapper un grand coup. Ils n'étaient pas sans savoir qu'en me harcelant à tous les jours, ils finiraient par avoir raison de moi. Personne, même en parfaite santé, n'aurait pu résister à autant de pression. Alors imaginez, moi qui revenais d'un *burn out*, j'étais une proie toute désignée. J'ai donc demandé à prendre mes vacances plus tôt que prévu. Cela étant accordé, je suis partie pour deux semaines.

Nouveau gérant, nouvelles règles

À mon retour, j'avais remarqué le comportement très étrange d'une employée appelée madame Adèle, gérante de rayon. Auparavant, elle venait dans mon bureau à toute heure de la journée, pour se vider le cœur concernant les vexations que monsieur Yves et madame Paulette lui faisaient subir. Non seulement elle ne venait plus me voir, mais, dorénavant, elle m'évitait. Lorsque je la croisais dans le magasin elle baissait la tête: aux réunions du matin, elle se tenait loin de moi. Je n'y ai pas fait trop attention. Je me suis dit que j'avais probablement échappé un mot qui l'avait blessée avant mon départ pour mes vacances. J'espérais mettre la situation au clair. Dans le cadre de mes fonctions, il m'arrivait à l'occasion de rappeler des employés à l'ordre. Même si j'avais des difficultés avec certaines personnes de la direction, je croyais toujours aux politiques de la compagnie.

Le jour de mon retour, monsieur Yves est venu me voir pour me dire que certaines politiques avaient changé durant mon absence. Il devait me notifier des modifications. Une fois de plus, je me suis posé la question à savoir qui, de madame Paulette ou de monsieur Yves, dirigeait le magasin. Il m'a alors dit que la direction avait décidé que je devrais dorénavant travailler deux soirs par semaine, et deux fins de semaines sur quatre. Je lui ai rappelé que lors de mon embauche chez Wal-Mart, il avait été convenu que jamais je ne serais appelée à travailler les soirs et les fins de semaines. Monsieur Yves m'a alors signifié que cet arrangement ne tenait plus puisque c'était monsieur Alain qui avait négocié cet accord avec moi. La compagnie exigeait maintenant que toutes les gérantes de personnel se plient à ces conditions. Remarquez que j'étais souvent venue travailler de ma propre initiative les soirs et les fins de semaine, quand j'estimais ma présence indispensable. Souvent, je me rendais au magasin le soir, afin d'y rencontrer les employés que je n'avais pas la chance de voir durant la journée car la plupart étaient des étudiants. Je ne compte plus les samedis où je suis allée à la succursale pour rencontrer les employés qui travaillaient la fin de semaine. Il m'arrivait fréquemment de passer tout l'après-midi sur place, à mes frais.

Monsieur Yves m'a dit également que je devrais porter à l'avenir le blazer bleu royal fourni par Wal-Mart. Il cherchait à me traquer par tous les moyens possibles. Je n'ai rien dit, car mes paroles auraient fait fi de toute forme de politesse et comme je savais qu'il cherchait justement à me faire perdre le contrôle de moi-même, je n'allais pas lui donner satisfaction. Ça été difficile, mais je me suis tue.

Martiens ou *Walmartiens*?

Je n'étais pas toujours docile et facile à vivre. Je suis certaine que mon absence de réaction à la suite des nouveaux changements imposés dans mon horaire de travail les a pris de court. Ils allaient bientôt constater que je ne m'en laisserais pas imposer.

Le lendemain matin, lorsque je suis arrivée au travail, j'ai choisi un blazer bleu royal et je l'ai revêtu. Je débutais mon travail avec le bulletin de paye, comme je le faisais tous les matins. Vers huit heures quarante-cinq, quand la petite musique qui nous interpellait chaque matin s'est fait entendre, je suis sortie de mon bureau les deux bras tendus en avant, comme une personne souffrant de somnambulisme. J'ai entrouvert la bouche pour qu'on puisse croire que j'avais subi une lobotomie la nuit précédente. Puis je me suis dirigée lentement vers l'avant du magasin. Les employés riaient et me demandaient ce qui n'allait pas. Je leur répondais, en prenant bien mon temps, que mon cerveau avait subi une intervention qui me rendait apte désormais à faire tout ce que la direction me demanderait. Je les ai informés qu'il ne fallait pas dire ce qu'on pensait chez Wal-Mart et que je ne savais pas comment ils avaient réussi cette métamorphose, mais que j'étais dorénavant une vraie *Walmartienne.*

C'est cette expression qui m'a suggéré le titre de mon livre, *La planète Wal-Mart*, en souvenir des fois où on se traitait mutuellement à la blague de « Walmartiens ». Tous les employés se tordaient de rire, jamais ils n'avaient vu quelqu'un d'aussi déterminé à tenir tête aux abuseurs. Madame Paulette, monsieur Yves et monsieur Victor le nouvel assistant gérant, avaient la face longue. Monsieur Yves s'est précipité dans ma direction à la vitesse de l'éclair. Il m'a saisie aux épaules par-derrière et m'a chuchoté à l'oreille d'arrêter d'agir de la sorte, que c'était un exemple déplorable pour les employés. Je me suis retournée lentement. J'ai retiré ses bras sans précipitation, je l'ai regardé droit dans ses yeux de hibou en lui disant à haute voix: « Voyons, Monsieur Yves, vous devriez être heureux car votre plan marche. Voyez comme je suis docile et calme. Ne craignez rien, je ne vous ferai aucun mal ». Il s'est retourné sèchement comme un soldat après avoir salué son chef

— je sais de quoi je parle car mon mari était officier de l'armée de terre! J'ai regardé ensuite dans le blanc des yeux madame Paulette, qui s'était approchée, et je lui ai dit que même si je ne m'étais pas aperçue que j'étais enrôlée dans l'armée, j'acceptais de défendre la compagnie de bon cœur. Cela ne lui a pas même arraché un sourire.

Trêve de plaisanteries! La réunion du matin débuta malgré tout. Pas besoin de vous dire que je ne faisais pas de vagues, j'étais au ralenti. Comme à chaque matin, après que la direction avait terminé de bourrer le crâne de tous les employés présents, on m'a demandé si j'avais quelque chose à dire. C'est monsieur Victor qui a eu le périlleux honneur, ce matin-là de me poser la question. Pauvre de lui! En lui jetant un regard complètement vide, sans aucun empressement et d'une voix assez forte, je lui répondis: « Dites-moi, monsieur Victor, croyez-vous vraiment que ça changerait quelque chose que j'aie quelque chose à dire? On ne m'a jamais écoutée par le passé, alors pourquoi commenceriez-vous aujourd'hui? » L'euphorie régnait chez les employés, il y en a même quelques-uns qui ont eu le courage d'applaudir. La direction s'est vite empressée de clore la réunion pour mettre fin à cette comédie. Il va sans dire que, ce matin-là, je n'ai pas appelé les lettres.

En retournant à mon bureau au milieu des autres employés qui pouffaient de rire, j'ai entendu le pas traînant de monsieur Yves derrière moi. Depuis le temps que j'étais sur mes gardes avec lui, j'avais noté le caractère singulier de sa démarche. En effet, quoique se déplaçant très vite, il raclait toujours le plancher. Il a dû en user des semelles ! Il parvint facilement à me rejoindre et m'entraîna dans mon bureau. Il n'était plus rouge mais il commençait à virer au bleu de son blazer. J'exultais, encore une manche à mon avantage ! Comme à son habitude, il a fermé la porte puis m'a sermonnée sur mon attitude, jugée complètement enfantine. Je lui ai fait remarquer qu'au point où j'en étais, je n'avais plus rien à perdre, et qu'il gaspillait de son précieux temps. Certes, il avait mieux à faire que de s'asseoir dans mon bureau. En plus, il me faisait perdre à moi aussi mon temps, chose si précieuse chez Wal-Mart. « *Time is you know what...* » À court d'arguments, il est reparti sans demander son reste.

Je crois que beaucoup de dirigeants pourraient dire que durant toute leur carrière chez Wal-Mart, ils n'ont jamais eu affaire à quelqu'un comme moi. Ce qu'ils ne comprenaient pas, c'est qu'ils m'avaient façonnée ainsi. Lorsqu'on gifle quelqu'un, il ne faut pas s'attendre à un baiser en retour. Certains partaient sans tendre l'autre joue, certains autres se rebellaient un peu. La direction avait toujours réussi à garder le contrôle en augmentant la charge de travail chaque fois que l'opportunité se présentait. Moi, c'est ce que j'appelle de l'abus de pouvoir. Mais ça ne fonctionne pas avec tout le monde, ils auraient dû s'en douter…

Tous ceux qui voulaient me voir plier m'ont brandi un jour ou l'autre la menace des avocats. Cette intimidation était constante dans leurs propos. Ils entraient dans mon bureau et dès que je me rebellais, on me disait que les avocats de Wal-Mart se chargeraient de mon cas et que la compagnie avait les moyens d'engager les meilleurs. J'ai eu affaire à deux d'entre eux en avril 2002 à l'occasion du procès de monsieur François. Si j'avais su! Des tigres de papier, ces avocats…

5

Le complot

Mon *coaching*

Ils allaient bientôt se débarrasser de moi. Vous vous étonnez sans doute que j'aie pu conserver mon emploi si longtemps. Je vais vous expliquer comment. Chez Wal-Mart, on ne congédie jamais un employé sans motif apparemment valable par crainte d'éventuelles poursuites. On préfère prendre tout le temps nécessaire pour bien piéger la victime. Mais il en est de coriaces, qui sont plus difficiles à abattre ; j'étais malheureusement de celles-là. Je précise également que, pendant la durée de mon emploi chez Wal-Mart, j'ai contacté la Commission des droits de la personne, les normes du travail. J'ai même consulté un avocat afin de savoir comment je pouvais faire cesser le harcèlement. Je me suis également rendue aux bureaux de la CSST afin de demander conseil, mais personne n'a pu me répondre. Bien entendu, on trouvait mon histoire atroce, mais tout le monde s'entendait sur un point : ils ne pouvaient rien faire pour m'aider. Le gouvernement a créé récemment un nouveau programme à la Commission des droits de la personne, sur le harcèlement psychologique au travail. Hélas, cette loi du gouvernement québécois n'est entrée en vigueur que beaucoup plus tard : elle ne s'appliquait pas à l'époque des événements que je relate.

Un mardi, à la fin de mon quart de travail, soit vers seize heures trente, madame Paulette et monsieur Yves sont entrés tout doucement dans mon bureau. Je me le rappelle comme si c'était hier. J'étais debout devant mon classeur, le dos tourné à la porte, occupée à ranger des documents. Je ne les avais pas vus entrer. Ils ont fermé la porte si doucement que je ne les ai pas entendus, puis, ils m'ont gentiment interpellée. J'ai quand même sursauté, car chez Wal-Mart, j'étais toujours sur mes gardes.

Madame Paulette avait un petit sourire en coin et, comme à son habitude, son acolyte était rouge comme une tomate mûre. Je me suis dit qu'ils allaient encore me brasser la cage, mais j'étais loin d'imaginer que cette fois, c'était eux qui allaient emporter la victoire. Ils le savaient et ça se voyait dans leurs yeux. Ils avaient une arme à la main, un formulaire en trois exemplaires. Une copie sur papier blanc, pour l'administration, une sur papier jaune, pour les dossiers. Enfin, un formulaire sur papier rose... J'ai compris de quelle arme on allait maintenant se servir contre moi. C'était l'arme la plus sournoise, la plus meurtrière de

Wal-Mart : les feuilles de *coaching*. C'est une arme qui ne fait aucun bruit, que personne ne voit venir, mais qui atteint à coup sûr ceux qu'elle vise. Malgré la prétendue aide qu'elle devait apporter à l'employé, j'avais eu souvent l'occasion de constater les dommages de cette arme sur ses victimes. Ça leur enlevait toute chance de pardon, toute chance d'avancement, elles ne pouvaient recevoir d'augmentation de salaire pendant ce *coaching*. Les salaires étaient plus que modestes chez Wal-Mart, mais les dirigeants trouvaient toujours le moyen de les maintenir le plus bas possible.

Ce système vous retirait toute votre force, toute votre personnalité, vous perdiez toute chance de vous défendre. Une personne qui se voyait imposer un *coaching* était finie. Tôt ou tard, l'employé qu'on avait ainsi « encadré » prenait le chemin de la porte. On m'a dit que j'allais être payée durant la période du *coaching*. J'étais encore debout dans mon bureau. Je sentais la sueur me couler sur l'échine, toutes sortes de pensées me traversaient la tête. Je savais que je n'avais rien volé à la compagnie, je savais que je n'avais enfreint aucune politique. Alors qu'avaient-ils contre moi qui puisse justifier un *coaching* ? On m'a invitée courtoisement à m'asseoir et, par tous les détours possibles pour ne pas aller droit au but, madame Paulette s'est mise à m'expliquer certaines politiques concernant le travail d'une gérante du personnel, par exemple la loi du silence au sujet de la rémunération. Je croyais à cet égard être au-dessus de tout soupçon. Madame Paulette me dit que madame Adèle, la gérante de rayon qui venait si souvent se plaindre dans mon bureau contre elle et monsieur Yves, lui avait confié, tandis que j'étais en vacances, qu'avant mon départ j'avais dévoilé l'augmentation de salaire d'un certain employé. Je la mis en demeure de faire venir madame Adèle dans mon bureau pour que nous nous expliquions. Mais j'avais oublié l'heure. Il était dix-sept heures et tous les gérants de rayon terminaient leur quart de travail à quinze heures trente. Elle était donc partie. De plus, madame Paulette m'a rappelé que je ne pouvais affronter madame Adèle car les Directives de la Porte Ouverte et du *coaching* interdisaient de dévoiler le nom de la personne qui déposait une plainte. Elle ajouta que ça ne donnerait rien puisqu'ils la protégeraient. Je savais qu'ils disaient vrai.

Le bluff

Comme ce n'était pas encore assez, ils ont évoqué l'incident de la feuille que j'avais sortie du magasin à la demande du gérant du personnel de Toronto. Madame Paulette m'a rappelé que je savais qu'aucun document ne devait sortir du magasin. Il m'est impossible de vous décrire comment je me sentais. Je n'ai toujours pas trouvé les mots pour exprimer mon indignation. J'étais accusée de quelque chose que je n'avais pas fait et j'étais impuissante à prouver ma bonne foi devant tant de rouerie, de cruauté et de malveillance. J'ai reçu ce jour-là toute une leçon de vie qui m'a appris à ne plus jamais faire d'emblée confiance à qui que ce soit. J'ai tout fait pour m'opposer au document. Pour la millième fois, madame Paulette m'a répété que je pouvais toujours contacter un avocat, mais qu'ils étaient prêts à m'affronter. Quand j'y repense maintenant, je crois qu'elle bluffait. Je sais maintenant que j'aurais encore pu me défendre, sauf que j'étais trop fatiguée pour résister. J'ai donc signé la feuille afin d'en finir avec eux.

Fait étrange monsieur Yves, toujours si verbeux d'habitude, n'a pas dit un seul mot durant tout l'entretien. Je suis sortie du magasin et une fois dans ma voiture, j'ai éclaté en sanglots. Je savais que j'avais perdu la bataille. Je n'avais même plus la force de réagir, tout ce que je savais faire était de pleurer. Je ne me souviens même plus comment je suis retournée chez moi cette journée-là. Tout ce que je sais c'est que j'étais complètement vidée. Mon Dieu ça faisait mal ! Jamais on me m'avait accusée d'erreurs que je n'avais pas commises. Moi qui croyais que ça n'arrivait qu'au cinéma, j'en prenais pour mon grade. Comment un être humain peut-il tomber aussi bas, accabler une personne, la regarder dans les yeux sans sourciller alors que l'autre sait très bien que son accusateur ment comme un arracheur de dents ? Ça dépasse la compréhension !

La fin

J'étais comme un zombie et rien ne me touchait plus. Lorsque le lendemain je suis retournée au travail, j'étais sur une autre *planète*. C'était à peine si je sentais mon propre corps. Si je tenais malgré tout toujours le coup, ce ne serait plus pour longtemps ! Mon intégrité avait été mise en cause, j'avais l'impression que chacun me désignait d'un doigt accusateur. J'étais en état de panique complète. J'avais peur de tout le monde, j'avais de la difficulté à respirer, j'avais presque toujours mal à la tête, je vomissais dès que j'avalais quelque chose. Bref, j'étais très malade sans m'en rendre pleinement compte.

Quelques jours plus tard, alors qu'on préparait l'inventaire, exercice très fastidieux, étant assise à ma table de travail, je percevais comme de loin des répliques que des gens s'échangeaient. Soudain j'ai entendu la voix de madame Paulette qui parlait avec le gars de la sécurité. C'est là que j'ai tout compris. Je devais m'en aller. J'ai tranquillement ramassé mes objets personnels, je suis allée chercher mes souliers dans mon casier, j'ai verrouillé les classeurs, j'ai pris mon sac, j'ai enfilé mon manteau et, sans rien dire à personne, je suis sortie du magasin, sachant pertinemment que je n'y travaillerais plus.

Le lendemain, le téléphone n'a pas arrêté pas de sonner. Je n'avais même pas envie de dire aux gens de Wal-Mart que je les avais quittés : je n'ai pas répondu. Le surlendemain, monsieur Victor, un des assistants gérants, réussit à me joindre. Je lui ai appris que j'étais malade, et que je leur apporterais un bulletin médical plus tard, sans préciser quand.

Finalement, quarante-cinq jours plus tard, le 7 mai 1999, j'ai rédigé ma lettre de démission tout en soulignant que j'abdiquais la tête haute. Je leur disais qu'ils avaient gagné, en marquant fermement à quel point ils s'étaient montrés malhonnêtes. Je me suis rendue au magasin et, comble de malchance, j'ai croisé monsieur Yves ! Je ne suis pas allée plus loin : je lui ai remis une lettre, qu'il s'est mis à lire aussitôt. Il a rougi comme à son habitude, mais pour une fois, c'était de plaisir : ce n'était pas un certificat médical, mais bel et bien ma lettre de démission. Il ne tenait plus en place et ne devait plus penser qu'à une chose : appeler madame Paulette pour célébrer leur victoire !

Comme c'était la coutume chez Wal-Mart, monsieur Yves m'a raccompagnée jusqu'à ma voiture. Je me suis dit que c'est avec une attitude comme la leur que le syndicat finirait par s'implanter chez Wal-Mart et alors les choses changeraient. Je suis montée dans ma voiture et je suis partie sans me retourner. Je n'ai plus jamais remis les pieds dans un magasin Wal-Mart.

La *planète* Wal-Mart

Dès lors, j'étais très différente de ce que j'avais été le 2 juin 1995 : pleine de bonne volonté, d'énergie, d'enthousiasme, et disposée à dire au monde entier que Wal-Mart était la meilleure compagnie pour laquelle travailler. Dans ce temps-là, je croyais tout ce qu'on me disait. Aujourd'hui, je me demande si monsieur Walton, le fondateur, était comme les dirigeants actuels ou si, comme je le pense toujours, il était vraiment différent. Je ne le saurai sans doute jamais. Plusieurs personnes me font remarquer que pour bâtir un empire comme Wal-Mart il faut nécessairement prendre avantage de la naïveté des gens qui travaillent pour vous. J'aimerais tellement penser que les choses peuvent se passer autrement, mais après mon expérience, je suis bien obligée de retenir l'hypothèse que ces personnes ont sans doute raison. Combien de fois j'ai repassé dans ma tête le texte des petits écriteaux accrochés sur le mur de la salle de repos des employés, en me disant que pour avoir pensé à cela, monsieur Walton devait sans doute être un homme bien.

À ma sortie de cet enfer, j'étais complètement anéantie. Je n'avais plus de forces, je n'avais plus de personnalité. Je ressentais à l'intérieur de moi un vide. On aurait dit qu'au cours de cette expérience, je m'étais perdue. Mais j'étais aussi révoltée. Il est certain que je pensais à la vengeance, j'en rêvais presque toutes les nuits mais je me refuse à la violence. Je me suis donc tue pour panser mes plaies autant physiques que psychologiques. Ce sont les maux psychologiques qui sont les plus difficiles à guérir, car les gens n'ayant pas vécu votre drame ne mesurent pas la profondeur du gouffre dans lequel vous vous enfoncez.

Certes, dans beaucoup de compagnies, les employés sont souvent mal traités. Mais ces entreprises ne mettent pas l'énergie que met Wal-Mart à persuader leurs employés qu'ils sont au paradis de l'emploi. Wal-Mart prétend que ses employés sont en fait des *associés*, ce qui à mon avis est totalement faux. Car Wal-Mart « oublie » d'informer ses employés de New York que cette succursale ne générant aucun profit, on ne peut donc pas leur payer une participation aux profits du magasin. Quant aux actions remises pour les bénéfices de Wal-Mart Canada, les dirigeants n'insistent surtout pas pour leur dire qu'il faut un certain nombre d'heures travaillées durant l'année pour y avoir droit et, qu'en tant qu'employé à temps partiel, les chances d'en avoir sont nulles. Même les employés à temps plein doivent être à l'emploi de Wal-Mart depuis une période de deux ans et demi avant de pouvoir être admissible au programme. Ce qui en bon français signifie trois années de travail avant de pouvoir en profiter. Et les dirigeants ne précisent pas non plus que vous devrez avoir quitté la compagnie pour pouvoir encaisser ces actions. La belle affaire ! Je préfère travailler pour quelqu'un qui ne me promet rien sinon mon chèque de paye, plutôt que de me faire miroiter une panoplie d'avantages sociaux et de partenariat pour m'apercevoir, en cours de chemin, qu'on m'a bernée.

La bulle remonte

Octobre 2004, cinq années ont passé. On se demandera sans doute pourquoi j'ai gardé le silence si longtemps. Premièrement, lorsque j'ai quitté Wal-Mart, j'étais dans un état si lamentable que je n'aurais pas eu la force de me battre. Je crois que mon corps n'aurait pas résisté à toute la pression que l'on m'aurait forcée à endurer. À l'époque, mieux valait pour mon bien-être essayer d'oublier plutôt que de ressasser les épreuves traversées. Dieu merci, j'étais tout de même consciente de ma fragilité. Il n'était pas encore temps d'affronter ces bourreaux, comme je les appelle. J'avais aussi peur qu'on me poursuive et comme j'avais déjà goûté à la sauce Wal-Mart, je ne crois pas que j'aurais été capable de la digérer à ce moment-là. Ils avaient si souvent cherché à m'intimider, ils avaient si souvent prouvé qu'ils ne reculaient devant aucun moyen pour arriver à leurs fins (comme, par exemple, le *coaching* que l'on m'a imposé en forgeant des accusations mensongères) que j'avais peur qu'ils recourent à d'autres subterfuges. Il y a une expression anglaise pour décrire la manière dont ils s'y sont pris pour essayer de me faire perdre ma crédibilité, *to frame somebody* — en faire la victime d'un coup monté.

Wal-Mart a plusieurs façons de briser un employé. Il y a d'abord la manipulation. Vient ensuite la douceur, puis le harcèlement silencieux s'installe, celui qui se fait derrière une porte close, celui que personne ne peut entendre, celui dont tout le monde se doute mais dont personne n'ose parler, de peur d'en devenir victime soi-même. Et si ça ne suffit pas, on insère le mot avocat dans la conversation et voilà, la compagnie est tranquille pour un petit bout de temps. L'acharnement que met cette entreprise à robotiser ses employés est inconcevable. Comment peuvent-ils être surpris de voir le syndicat frapper doucement mais inexorablement à la porte ? Wal-Mart se croit vraiment au-dessus des lois ! Tout se passe comme si cette compagnie pensait qu'elle pourra impunément continuer à maltraiter ses employés, puisque ces derniers ne feront jamais rien pour se défendre.

Croyez-moi, ils en ont des employés soumis, j'en ai moi-même embauché quelques-uns. Mais Wal-Mart oublie qu'elle a aussi à son service de ces gens pour qui l'honneur est plus important que l'argent ou une petite satisfaction de vanité. Cette compagnie oublie qu'il existe encore des personnes qui n'auront pas peur de se mouiller afin de ne pas être forcées à la soumission et au silence. Elle oublie aussi que chez certains, le droit de s'exprimer et de se défendre prime sur tout. J'espère seulement que pour une fois, la compagnie révisera sérieusement sa façon d'agir et comprendra que ce n'est pas avec du vinaigre qu'on attire les mouches mais plutôt avec du sucre.

Épilogue

Tout ce qu'un être humain réclame c'est le droit de travailler dans des conditions propres et saines sans harcèlement physique ou psychologique, et le droit de pouvoir s'exprimer en toute liberté afin de s'épanouir dans son milieu de travail. Wal-Mart devra cesser de faire l'autruche, et prétendre que tout est pour le mieux dans le meilleur des mondes. Elle devra réviser ses politiques, les humaniser et surtout arrêter de promouvoir les cadres dont les agissements la mettent sérieusement en danger. Une bonne gestion d'entreprise a pour base une formation universitaire sérieuse en administration des affaires et une bonne formation en gestion de ressources humaines, choses qui font pitoyablement défaut chez Wal-Mart. Cette compagnie récompense ses gestionnaires en leur donnant des responsabilités de gestion et d'administration. Or ces personnes qui ont appris sur le tas ont de la difficulté à assumer de telles responsabilités ; peu d'entre elles ont une formation adéquate. La plupart n'ont comme expérience que le montage de tablettes, la gérance de rayon et de quelques employés, puisque la majorité des dirigeants de magasin ont passé leur vie à travailler dans un magasin de vente au détail.

Après des années de loyaux services c'est de cette façon qu'on remercie ces employés, en leur confiant une tâche pour laquelle ils ne sont pas préparés. Tout ce qu'ils ont appris au cours de leur carrière, c'est en criant après eux qu'on le leur a inculqué. Alors ils croient qu'on peut encore agir de cette manière dans les années 2000!....

La haute direction, dans les lointaines sphères de Toronto et des États-Unis, devrait comprendre que le seul moyen de prévenir l'intrusion d'un syndicat dans l'entreprise est de respecter les employés, d'agir avec franchise, de parler honnêtement, de dire les choses comme elles sont. On ne prend pas impunément tout le monde, tout le temps, pour des imbéciles! Le mode de gestion pratiqué est suranné, archaïque, paternaliste et, somme toute, méprisant. C'est la façon de s'aliéner la confiance, non seulement des employés, mais aussi de l'ensemble des consommateurs.

Je souhaite pour ma part que Wal-Mart tirera la leçon devant la tendance lourde vers la syndicalisation de ses succursales: la compagnie ne pourra pas fermer ses magasins, les uns après les autres, en prétextant qu'ils ne sont pas rentables. Comment se fait-il, peut-on s'étonner, que le magasin de New York est encore ouvert, après dix ans d'exploitation *non rentable*? À qui ferait-on croire qu'il fonctionne à perte, tout le long d'une décennie! Par tous les diables: Wal-Mart n'est tout de même pas la Saint-Vincent-de-Paul! Qu'on se rappelle l'époque où, en 1997, on ne mentionnait même plus le chiffre d'affaires du magasin de New York, parce que tous les employés étaient éberlués du fait que nous ne parviendrions jamais à atteindre l'objectif de rentabilité fixé par la compagnie pour notre succursale.

Adieu, veaux, vaches, cochons, couvées...

Cinq longues années ont passé depuis mon départ. Je voulais simplement vous dire, à vous les dirigeants que, malgré le temps écoulé, je n'ai jamais oublié les mauvais traitements auxquels j'ai été soumise.

Et j'aimerais rappeler à chacun que la devise du Québec est:

JE ME SOUVIENS!

Annexe A

Témoignage personnel

« Dans mon cas, déclare Suzanne, les revenus générés par la participation aux profits, pour l'exercice 1998-1999, furent de 465,64 $. Pour une année d'effort, c'était l'équivalent de moins de 30 cennes de l'heure. Compte tenu que mon taux horaire était de moins de 10,00 $, sur la base de 40 heures il faut compter un revenu inférieur à 400,00 $ par semaine. C'est ça que j'ai vécu comme réalité d'*associée.* »

« Je n'ai jamais pu toucher de bonification reliée aux profits du magasin, puisqu'il n'a jamais été profitable. Du moins, du temps où j'y ai travaillé. Pour quatre années de travail, je n'ai jamais eu le PRIVILÈGE de recevoir un chèque sur le pourcentage des profits. Il me semble que le magasin n'ait pas fait du tout, ou pas suffisamment, de profit. »

« En quatre années de service j'ai reçu, en date du 20 avril 1999, la somme de 1 808,50 $, rendement inclus. La dernière année, Wal-Mart a versé dans mon fonds de pension (RPDB), tel que rattaché à la profitabilité de l'entreprise, un dépôt en action de 465,64 $, soit une valeur moyenne de 9,30 $ par semaine… Si vous vous amusez à faire le calcul, sur une base hebdomadaire de 40 heures, sur 50 semaines, cela donne (faramineuse motivation!) 23 cennes de l'heure… »

« En quatre ans d'emploi ou d'*association* à Wal-Mart, j'ai formé un grand nombre d'*associés*. Même en tant que gérante du personnel, je n'ai jamais pu savoir quelle était la méthode de calcul, les barèmes utilisés. Comment était-il possible d'informer la multitude de personnes qui avaient des attentes, puisque si une seule des nombreuses étapes n'était pas atteinte, l'associé non qualifié voulait tout de même, à tout le moins conserver un espoir pour l'exercice suivant, d'avoir un retour sur son investissement!.... Il faut comprendre qu'à 8,00 $ de l'heure, l'idée que s'était faite l'*associé* sur sa part de profits en prend pour son rhume. Évidemment on ne parle pas de l'investissement émotif ni des efforts physiques qui se retrouvent non récompensés. »

« Lorsque j'ai quitté mon emploi, il y avait dans le classeur deux tiroirs pleins à ras bord de dossiers d'employés ayant quitté leur job. Je me demande bien combien d'entre eux ont eu la CHANCE de participer aux profits canadiens ! »

Annexe B

Conditions requises pour être admissible aux profits canadiens

Pour recevoir à la base 1 % du salaire de l'associé, plus sa part des profits, il faut:

A) Travailler un AN COMPLET pour être reconnu *associé* aux profits chez Wal-Mart;

B) Travailler un MINIMUM de mille (1000) heures durant l'année Wal-Mart, laquelle se termine le 31 janvier;

C) Être à l'emploi le 31 janvier de cette année de référence;

D) Avoir travaillé AU MOINS deux ans pour que ces sommes ne soient plus la propriété de Wal-Mart mais bel et bien de l'*associé*.

NOTE: un cas d'espèce donné en exemple

Si un *associé* commence son emploi, par exemple le 5 juin de l'an I (année de référence), la période d'attente sera de douze mois, et se terminera le 5 juin de l'an II. À partir du premier jour du mois qui suit, donc le premier juillet de l'an II, l'associé doit travailler mille (1 000) heures pour les sept mois de juillet, août, septembre, octobre, novembre décembre et janvier. C'est-à-dire que pendant ce laps de temps, il doit travailler 140 heures par mois. Dans ce cas il lui faut fournir, de façon constante, 33 heures de travail par semaine. Dans cet exemple, un employé à temps partiel se trouve exclu, et l'employé qui travaille à temps plein à raison de 32 heures par semaine, ne pourra pas respecter pas la norme.

Si l'employé atteint le nombre d'heures exigées, et est à l'emploi le 31 janvier de l'an II, il comptera recevoir une participation pour l'an II.

Toutefois, en cas d'échec à atteindre l'objectif, l'employé aura droit à un ticket pour l'année suivante. Mais il lui faudra, là encore, atteindre les mille heures fatidiques… Et être encore à l'emploi de Wal-Mart au 31 janvier de l'an III !

Achevé d'imprimer en juillet deux mille cinq
sur les presses de
Marc Veilleux imprimeur,
Boucherville (Québec), Canada.